Père Anselme Chiasson

Les Légendes des îles de la Madeleine

Planète rebelle

Les Légendes des îles de la Madeleine

Planète rebelle
Fondée en 1997 par André Lemelin
6742, rue Saint-Denis, Montréal (Québec) H2S 2S2
Téléphone : (514) 278-7375 - Télécopieur : (514) 278-8292
Adresse électronique : info@planeterebelle.qc.ca
Site Web : www.planeterebelle.qc.ca

Révision : Janou Gagnon
Correction : Corinne de Vailly
Page couverture : Tanya Johnston
Dessins : Rhéal Richard
Saisie des textes : Mariève Beaudoin Sullivan
Mise en pages : Tanya Johnston
Impression : Imprimerie Gauvin ltée

Les éditions Planète rebelle bénéficient des programmes d'aide à la publication du Conseil des Arts du Canada (CAC), de la Société de développement des entreprises culturelles du Québec (SODEC) et du « Gouvernement du Québec - Programme de crédit d'impôt pour l'édition de livres - Gestion SODEC ».

Distribution en librairie :
Diffusion Prologue, 1650, boul. Lionel-Bertrand
Boisbriand (Québec) J7H 1N7
Téléphone : (450) 434-0306 - Télécopieur : (450) 434-2627
Adresse électronique : prologue@prologue.ca
Site Web : www.prologue.ca

Distribution en France :
Librairie du Québec à Paris, 30, rue Gay-Lussac, 75005 Paris
Téléphone : 01 43 54 49 02 - Télécopieur : 01 43 54 39 15
Adresse électronique : liquebec@noos.fr

Dépôt légal : 3e trimestre 2004
Bibliothèque nationale du Québec
Bibliothèque nationale du Canada
ISBN : 2-922528-43-X

Imprimé au Canada

Père Anselme Chiasson, capucin

Les Légendes des îles de la Madeleine

Dessins de Rhéal Richard

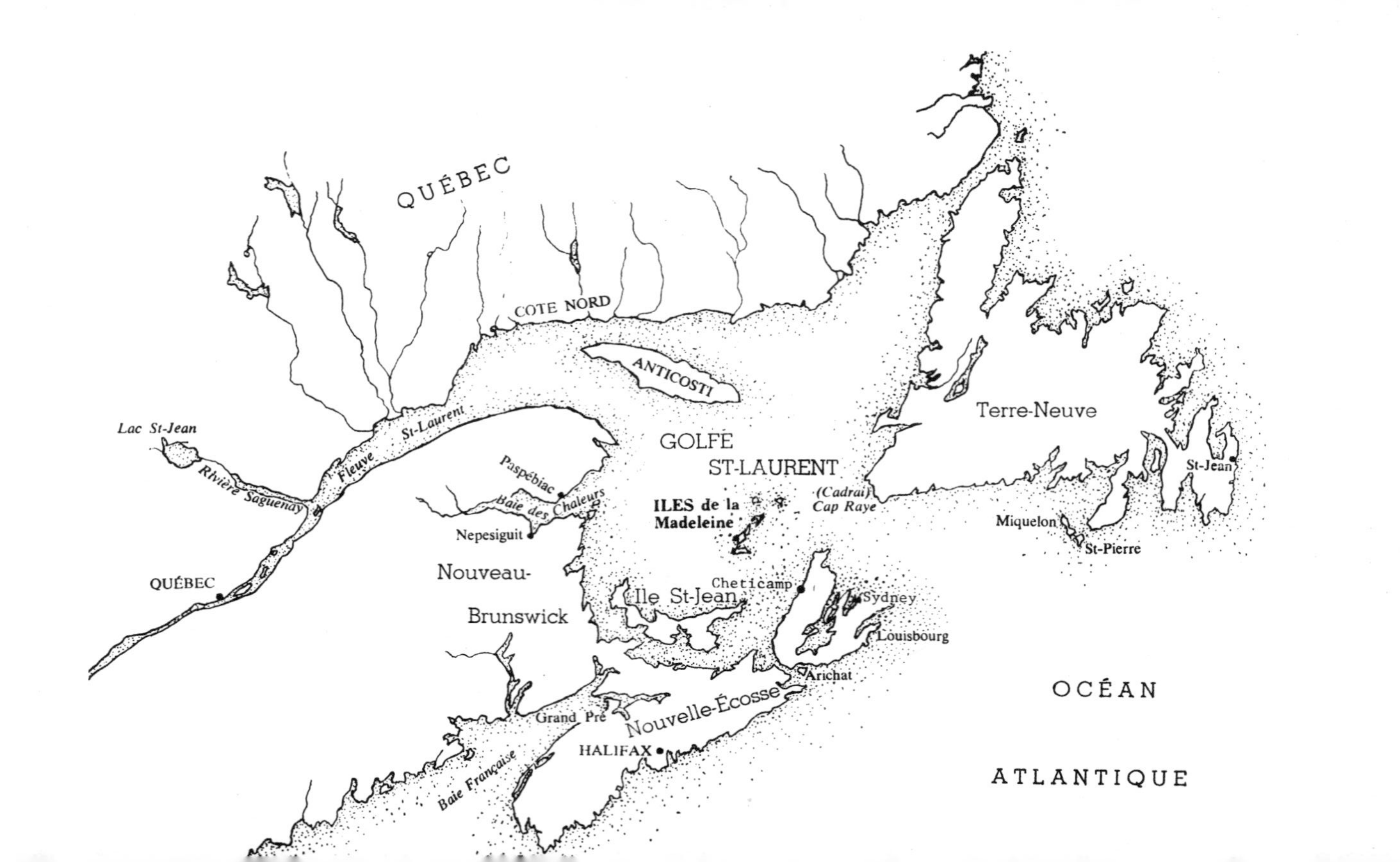
QUÉBEC
COTE NORD
ANTICOSTI
Lac St-Jean
Rivière Saguenay
Fleuve St-Laurent
QUÉBEC
Paspébiac
Baie des Chaleurs
Nepesiguit
GOLFE
ST-LAURENT
ILES de la
Madeleine
(Cadrai)
Cap Raye
Terre-Neuve
St-Jean
Miquelon
St-Pierre
Nouveau-
Brunswick
Ile St-Jean
Cheticamp
Sydney
Louisbourg
Arichat
Nouvelle-Écosse
Grand Pré
HALIFAX
Baie Française
OCÉAN
ATLANTIQUE

TABLE DES MATIÈRES

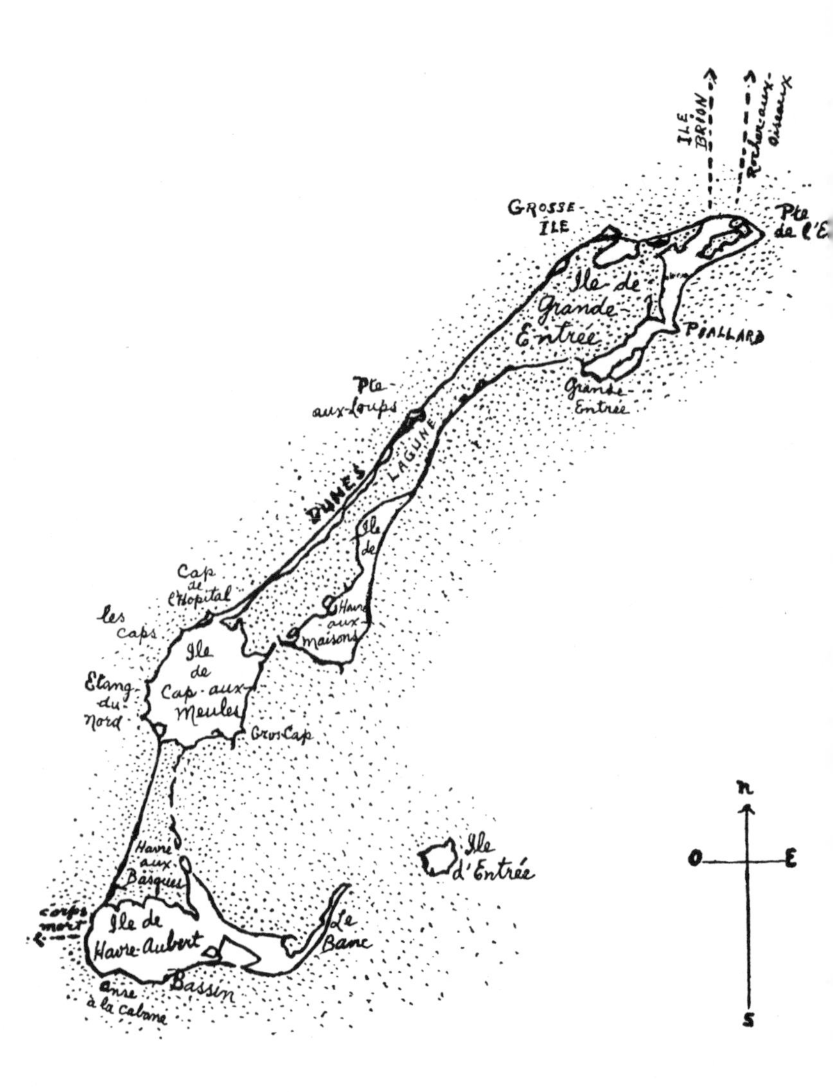

Les Iles de la Madeleine

Préface

Et puis tout est silence

Soudainement la parole se retire au chaud de son abri de chair, ne laissant place qu'à un silence immense... Tellement immense que son écho se répercute dans tous les cantons, les anses, les baies, les buttes et les mocôques de ces Îles accrochées à l'hameçon des vérités, par le fil imaginaire les reliant à une terre à jamais étrangère.

Étrangère et orpheline, de soi aux autres, rendant le deuil encore plus grand, encore plus démesuré, par cent brasses sous le fond remontant aux racines sous-marines de l'avant-pays, d'où émergent encore aujourd'hui, à fleur d'eau, les trésors de paysances et de chasse-marée, que ni le froid, ni la dépossession, ni l'errance, ni la déportation n'ont su ravir à l'imaginaire collectif.

Les racines sont beaucoup trop profondes, trop imbibées de sel et d'iode, guérisseurs des générations d'auparavant, ayant crevé leurs eaux au large du banc des Orphelins, pour ne savoir en tenir mémoire, au plus creux de la nuit noire, où la rencontre des eaux s'entête à tricoter ses marées d'éternité serrées comme au creux d'un ventre, allaitées de rêve et d'exil, de loyauté et de francophonie.

Alors les dents de lait n'ont qu'à venir, sur le tard dans la chair du verbe dire, pour que jamais ne meure, entre le marteau et l'enclume, le bruit, la résonance, le chant précieux du fer en sa chaleur, finissant de rondir l'écho, d'embellir la pièce, où au coin du feu tantôt s'invitera le conteux, le prophète, le visionnaire, le passeur d'âmes, celui qui relie le passé au présent en flasant à peine d'avenir, le fil rapiécé de ses rêves bleus, mouillés à demain des souvenances.

Puis, les mots prennent leur place dans la margoulette, la boîte à effet, activant la gestuelle, qui se déplie, ressoudue de l'ivresse des profondeurs, ne demandant qu'à être entendus pour ne jamais mourir de leur belle mort, et se déserter eux-mêmes de leur fonction première.

Et c'est alors que dans les yeux, tisonnant l'assistance, le chroniqueur harangue la foule, la dévisage, l'impatiente, la brûle en ses pourpoints, la laisse le mériter, lui fouille le fondement jusqu'à fondre la cire de sa curiosité logée au creux des oreilles oublieuses…

Alors, seulement, en fines cavalcades d'abord, puis au trot du roi sans sa princesse, et finalement au grand galop des résurgences, le convoi embrase tout l'horizon prenant le pays à brâsscorps comme un ventre de vertu replié sur lui-même, pour lui chatouiller la luette, la désirance, l'interdit, le possible, tous les possibles… que permettent les contes, à commencer par les princesses changées en crapauds, en allant jusqu'aux taureaux aux cornes d'or en passant par les pilleurs de trésors, la chasse-galerie, le vaisseau-fantôme, le buttereau du nègre et le cri du piailleur.

Et lorsque le décor est campé, dans la patience du secret se méritant, le géant se lève, se déplie, se réinvente une stature qu'il croit toujours trop grande pour lui, par trop immense pour ne point loger de plis à l'encolure et aux manches, qu'il racornit grossièrement pour se donner corps et consistance, se faire plus invraisemblable, se surprendre lui-même, s'amener loin, de l'eau, à la jambe des barachois, sur les hauts-fonds qu'il ne soupçonnait pas la veille, en des barachois inconnus, où l'homardière décarapace sa nichée, en quête de vérité et de mystères.

À ce moment s'amène dans l'archipel le chercheur de trésors, armé d'yeux rayons X et d'une ouïe fine comme on en retrouve seulement dans les contes de fées les plus incroyables.

Dans toute sa Don Quichotterie, il se flanque d'un Sancho hors du commun et part à l'aventure, enregistreuse en bandoulière par le chemin des Caps menant chez Étienne et sa bande de joyeux délurés.

Menant à Grande-Entrée, au Bassin Ouest, à Old-Harry, en passant par Pointe-aux-Loups, Pointe-Basse, le chemin des Montants, la Petite Baie, avant d'enfiler le pont et de traverser la dune pour découvrir du côté de Havre-Aubert ce qu'il nous reste de France et d'Acadie, de Miquelon et de perles précieuses, rubis bagosseux coulant des doigts d'un ange cornu, jusqu'en l'engourdissement de levure et de fruits sauvages.

Les mots coulent comme de la bagosse, clairs et lourds de conséquences, jusqu'aux tympans, de cordon ombilical en ventricule pour que batte à jamais dans le cœur de la descendance ce qui nous vient de loin, des vieux, de sur l'empremier, de l'invisible que l'on emporte avec soi dépassé l'indiscrétion des douaniers et le droit de cuissage…

Dans toute sa clairvoyance logée sous ses lunettes épaisses, il ne cherche pas de trésors en creusant des tranchées dans l'invraisemblance. Il ne rêve pas de sous-sol gazier, polluant, dévastateur. Il sait d'instinct, pour être né au bon endroit, au bon moment, que le trésor est à portée de vue, à hauteur de regard, qu'il a un visage nécessitant sa propre lecture, son code secret, son mode d'emploi.

Qu'il lui faudra troquer pour le mériter, échanger sa franchise, sa curiosité, son besoin de transcendance contre une confiance effleurée, une crainte menue, venue de loin, capable de reconnaître les conquérants et les pilleurs de tombes. Mais lui n'appartient point à cette race venue de trop loin pour ne pas qu'on les reconnaisse. Il est des leurs, il parle leur patois, rit de leurs rires, boit à leur ivresse et mange à leur faim.

On peut lui servir à dire, à chanter, danser, rire et boire comme un enfant prodigue ressoudu de Chéticamp à la dernière tempête, pour faire côte et enfin prendre racine.

Il est venu celui que l'on n'attendait plus. Qui allait nous révéler à nous-mêmes et au monde, dans ses humbles habits de sacerdoce brunis par le temps et le renoncement. Un peu voûté par le poids de la tradition orale, la fossette du séducteur toujours paré à déclencher un rire sonore sorti du fond du grenier de la mémoire de ses avant-vies.

Il écoute, brandissant son micro, comme un fleuret, sans bouclier, sans peur et sans reproche, sans pleurs et anicroches. Il est méritant. Il sait attendre. Pis encore, on l'attend, le reconnaît, on se rassemble en plein après-midi dans les cuisines pour lui donner à boire de ces palabres et de ces armenances traversant les siècles et les âges des racines de rhubarbe à la jambe du temps.

Et il revient quelques saisons durant, avant de disparaître comme il était venu pour ne revenir que quatre décennies plus tard, le trop rare quêteur de mémoire. Il débarque étonné, ravi, sensible et interdit. Neuf en pays neuf, lancé cette fois à l'assaut de sa propre découverte. Dépoussiérant ses trésors à lui, qu'il croyait à jamais enfouis sous le vermoulu de la carte des naufrages tracée par l'un des siens.

Et repart comme venu, et revient saison d'après, avec dans son regard la soif des dernières fois, celle qui ne laisse jamais de répit au goulot de souvenances.

Le béret un peu plus enfoncé que de coutume, la larme frileuse à l'encolure de l'œil pour un tout et pour un rien, il le sait trop bien lui, le sorcier séculaire, que de traqueur, il est devenu le traqué, que son temps est compté et par conséquent ses effets, comme le conteur, tirant sur la queue du chat pour mériter son miaulement au moment opportun.

Puis par l'onde et par l'eau, les oiseaux de passage remontant sur la petite eau de la chaîne, les filets à harengs répandent la nouvelle, su'l'èsse comme su'l'ouêsse, les radios, les télés, Achille à Anthime et toute la sainte chibagne huche à hue et à dia, jusqu'au cœur de l'évidence, nous ramenant un silence par trop immense.

La force du conte réside dans le silence. Dans les silences… dans l'art de faire flotter ses mots sur des radeaux d'enfance comme dirait Clémence. Le quêteur de mémoire venait de saigner la cruche du silence inaltérable en cette fin d'avril où le hareng vient redonner vie au pays qu'il aimait tant. Son deuxième pays, sa deuxième patrie, comme il aimait le dire en mordant dans le « r » un œil sur Havre-Aubert.

Et son silence par la mémoire de l'écho redonne vie au goulot du dire, et sa mort nous le rend encore plus vivant que jamais, immortel et nécessaire comme les quêteux, les nomades, les porteurs de mémoire, traversant continents et époques en ensemençant la souvenance de tout un chacun pour que jamais ne meure la vie, dépassé l'entendement, la méritance, le besoin de se survivre en portant sur ses épaules menues l'héritage des générations à venir dans le plus grand des silences. Le seul qui vaille son pesant d'or.

Il repart sur la pointe des pieds, respectueux, comme il était venu, en prenant soin de replacer sa chaise à la table et de saluer bien bas, parce que l'humilité, ça le connaît…

Ceux qui l'ont connu le garderont vivant au chaud d'eux-mêmes, les autres le remettront au monde à la mesure de leurs besoins respectifs. Chose certaine, ses humbles pistes aux souliers marchés des coulines, des anses et des baies sont là pour rester, elles ont tracé leurs sillons jusqu'aux chemins enfouis de la conscience collective, de la tradition orale, logées au cœur même du besoin, de durer, de perdurer, à la rencontre des eaux, entre l'île et le continent où le jusant les rejoint, quand le soleil se signe de la Belle Anse à l'Étang du Nord comme en prière, ce n'est qu'un salut qu'il nous lance depuis son Chéticamp natal, sans attendre de réponse puisqu'il fait partie du décor et du silence qui l'habite dans chacune de nos paroles. Alors seulement, le conte peut faire place à la légende.

Merci d'être passé nous dire que nous venions de loin. Bon voyage dans les autres mondes forceux de vérité. Et à bientôt…

Sylvain Rivière
La Montagne, le 28 avril 2004

Présentation

Les îles de la Madeleine forment un archipel situé en plein golfe Saint-Laurent, rattaché politiquement à la province de Québec, mais relié géographiquement et démographiquement aux Provinces Maritimes. Situées à 160 milles de Gaspé, elles ne sont qu'à 60 milles de Chéticamp (Cap-Breton) et de l'Île-du-Prince-Édouard. Les gens des îles de la Madeleine sont des Acadiens, auxquels se sont mêlés quelques Canadiens français.

Longtemps isolés sur leurs îles, sans contact avec la *grand-terre* si ce n'est par leurs goélettes de pêche, les Madelinots ont conservé dans toute sa richesse leur patrimoine folklorique : traditions, contes, chansons et légendes. Ils l'ont même grandement enrichi d'une couleur locale particulière. Ainsi les traditions apportées d'Acadie ont été adaptées à la vie des Îles ; plusieurs nouvelles chansons y ont vu le jour et, enfin, beaucoup de légendes que nous présentons dans cet ouvrage y sont nées. Aujourd'hui, les îles de la Madeleine ne sont plus isolées. Le bateau l'été, l'avion en toute saison, le téléphone, la radio et la télévision les relient au monde extérieur. Le progrès économique a été plus marqué durant les vingt-cinq dernières années que durant les cent années précédentes[1].

Les contacts constants avec l'extérieur par les voyages, la radio et la télévision, le progrès dans les domaines de l'économie et de l'éducation, constituent sans doute une menace sérieuse à la survie du folklore. On comprend que les traditions doivent changer, que les contes et les légendes ne se transmettent plus guère oralement : mais on aimera toujours les lire. Les chansons folkloriques des Îles sont une richesse dont la population devrait prendre conscience et qu'elle devrait conserver jalousement pour les générations à venir, au lieu de les remplacer par d'autres qui sont déjà imprimées et répandues à profusion.

[1] *Mémoire des Madelinots à la Commission royale d'enquête sur les problèmes constitutionnels*, 12 novembre 1954.

Nous avons déjà recueilli des centaines de contes et des centaines de chansons des Îles ; nous avons aussi fait un relevé complet des traditions et des légendes. Et aujourd'hui, nous publions ces dernières sous le titre : *Les Légendes des îles de la Madeleine.*

Si on définit la légende comme « un récit s'inspirant de faits réels sur lesquels l'imagination a brodé, tissé toute une gaine de fictions, récits conservés et transmis ensuite par la tradition orale[2] », on comprend facilement qu'elle soit d'abord caractérisée par le contexte dans lequel elle naît, puis modifiée par le milieu qui, lui, la transmet de génération en génération.

Les légendes que nous présentons ici ont toutes été recueillies aux îles de la Madeleine. Un grand nombre d'entre elles viennent d'ailleurs ; mais elles se sont si bien intégrées au milieu qu'on les croirait originaires des Îles. Elles ont été apportées soit de France par les pionniers acadiens ou par des marins français, soit d'autres régions du golfe par les Madelinots eux-mêmes. Les autres ont comme point de départ un fait réel survenu aux Îles, ou les farces de quelque Madelinot à l'imagination féconde. « Qu'un homme d'imagination raconte un jour une histoire inventée de toutes pièces à propos d'une ruine quelconque, et voilà la légende qui se forme[3] », dit Jean Variot. On rencontre, dans l'histoire des Îles, de ces créateurs de légendes qui surent les faire *avaler* à leurs contemporains, ces derniers les transmettant ensuite à leurs descendants. Il y eut Eusarique Deraspe et d'autres, qui sont demeurés célèbres.

Toute légende est donc imprégnée de son milieu. Celles des Îles sont fortement caractérisées par certains traits prédominants. Ainsi, l'archipel est formé d'un chapelet d'îles dont plusieurs sont reliées entre elles par des dunes immenses. Ces vastes étendues de sable ont joué un rôle relativement important dans la vie des Madelinots. Ils y chassaient le jour et, la nuit, y écumaient le bois de la mer ; et pour y faire le foin chaque année, ils demeuraient dans des cabanes pendant des semaines avec tous les membres de leurs familles. Les hommes avaient la hantise des dunes. C'était pour eux comme une évasion, la vie au grand air, les grands espaces, le pendant de la mer. Celle-ci y déversait régulièrement ses épaves, ses secrets. Beaucoup de légendes ont pris naissance sur les dunes.

Par leur position géographique, les Îles furent témoins d'innombrables naufrages de navires madelinots et étrangers.

---

[2] Albert Marinus, *La Légende*, Bruxelles, p. 15.

[3] Préface de *Légendes et Traditions orales d'Alsace*, Paris, Éditions Georges Crés et Cie, 1919.

L'histoire a enregistré de nombreux drames : pertes de vies par noyade à la pêche, hommes perdus et gelés sur les glaces à la chasse aux loups-marins. Autant d'événements favorables à l'éclosion des légendes.

Les Îles furent fréquentées aux XVIe et XVIIe siècles par des navires de pirates ou de corsaires. De là les légendes se rattachant à leurs faits et gestes et surtout à leurs trésors cachés.

Dans tout l'archipel, on ne trouve ni couleuvres, ni serpents, ni crapauds, ni grenouilles. Avec les renards et les lièvres, le seul gibier qu'on y connaît est l'oiseau migrateur, l'outarde et le canard, par exemple. De là les légendes particulières sur la chasse et les animaux. Le démon n'est jamais représenté par un serpent ou un crapaud, mais par un corbeau, un cheval, un chat ou un chien noir.

Comme les îles de la Madeleine se trouvaient autrefois isolées du reste du monde, on comprend que dans un milieu aussi fermé, le curé, par son instruction et ses connaissances, devenait pour ses paroissiens le conseiller, le juge, en un mot, l'oracle. Aujourd'hui, les choses ont changé. Avec l'instruction plus poussée, des chefs laïques sont sortis des rangs et, tout en manifestant le même respect pour le prêtre, ont pu prendre leurs affaires en main. Le clergé de son côté est heureux de pouvoir se consacrer davantage au domaine spirituel. Il n'est donc pas surprenant, compte tenu du contexte passé, que l'on fasse intervenir le prêtre dans la légende. Et ici comme partout ailleurs, la légende prête à ses héros — même prêtres — des traits de caractère, des paroles et des gestes qui ne sont pas toujours conformes à la réalité historique.

Les légendes qui font l'objet de notre recueil portent le plus souvent sur des faits réels dont l'histoire ignore les détails ou dont l'aspect historique demeure banal ; elles s'en emparent pour y mettre des couleurs, des précisions, du mystère. « La vérité est froide, nue, dépourvue de cette espèce d'idéalisme, de sensiblerie touchante, sans cette part de prodigieux, de surnaturel si attrayante » des légendes. Celles-ci « ont plus de charme, éveillent davantage l'émotivité. Elles se répandent dans l'opinion qui s'attache aux épisodes les plus mystérieux, les plus captivants, sans souci de leur invraisemblance, sans chercher à expliquer les contradictions[4] ». Tout cela s'applique à merveille aux légendes des Îles. On y retrouve en effet du mystérieux, de l'irréel, de

[4] Albert Marinus, *La Légende*, Bruxelles, 1. c. p. 12-13.

l'invraisemblance et du contradictoire. Cela ne les rend que plus intéressantes et ne trouble en rien l'assurance des conteurs.

Est-ce à dire que les gens croient encore à ces légendes ? Peu de personnes osent l'admettre. D'aucuns en élaguent un bon nombre, mais tiennent pour vraies certaines d'entre elles. D'autres enfin n'y croient pas du tout. On rencontre même des gens qui méprisent ces légendes de chez eux, qui en ont honte comme d'une tare, comme d'un signe de misère mentale. Ceux-ci oublient sans doute que tous les peuples possèdent leurs légendes ; que de plus en plus on les regarde comme une preuve d'imagination et du sens artistique des ancêtres et qu'on les recueille comme un dépôt précieux et une richesse du terroir.

Les folkloristes ne sont pas encore parvenus à une classification définitive des légendes, acceptée universellement. Au congrès de folklore, tenu à Anvers en 1962, M. J. R. W. Sinninghe proposait comme catalogue international une classification déjà faite des légendes néerlandaises[5]. En 1964 paraissait *Folktales of Norway*[6], traduction anglaise du livre d'un maître de l'heure en folklore, M. Reidar Thorwald Christiansen. Nous nous sommes inspiré de ces deux auteurs pour le plan de notre travail. Mais il semble que les légendes soient trop variées, comme les divers aspects de la vie imaginative, pour être circonscrites rigoureusement dans des cadres rigides. Il en restera toujours quelques-unes sans doute qui n'entreront parfaitement dans aucun classement. D'autres, enfin, figureraient également bien dans deux groupes distincts. Le compilateur doit classer les unes et les autres, et il est le premier à se rendre compte que le lien qui relie quelques-unes d'entre elles à un groupe particulier est parfois bien ténu.

Peut-être ces récits auraient-ils présenté plus d'intérêt, auraient-ils été empreints d'une couleur locale davantage caractéristique s'ils avaient été racontés dans le langage populaire de certains narrateurs. Mais le parler des Madelinots varie sensiblement d'une paroisse à l'autre et les nombreux informateurs interrogés différaient tellement quant à leur culture qu'il eût été impossible de conserver une certaine uniformité de style dans l'ensemble de l'ouvrage. Avoir tenté de le faire sous prétexte de présenter une version fidèle de la *parlure* des gens des Îles eût été trahir cette population.

---

[5] *Le catalogue des légendes néerlandaises en tant que catalogue international*, conférence de M. Sinninghe reproduite dans *Tagung der « International Society for Folk-Narrative Research » in Antwerp*, du 6 au 8 septembre 1962, Anvers, 1963.

[6] *Folktales of Norway*, Éditions Reidar Thorwald Christiansen, traduit par Pat Shaw Iversen, 1964.

Nous nous sommes efforcé cependant de nous en tenir rigoureusement aux récits recueillis, sans rien changer à leur trame, même sous prétexte d'en améliorer la présentation, sans ajouter quoi que ce soit de notre cru ni, bien entendu, rien enlever de ce qui caractérise ces légendes. Ainsi, on remarquera que la plupart de celles-ci comportent une leçon et que le narrateur finit souvent son récit en affirmant qu'elle a porté fruit : « Ils n'ont plus joué au *bluff* de leur vie » ou « il ne s'est jamais plus servi de sa main », etc. Le souci d'authenticité nous a porté à respecter même ce côté quelque peu moralisateur de plusieurs anecdotes.

Nous avertissons le lecteur que notre but est de présenter dans ce livre un tableau aussi complet que possible des légendes des îles de la Madeleine, et non pas une œuvre littéraire. Cela explique la présence dans ces pages de légendes d'inégales longueurs et d'inégales valeurs. C'est une simple compilation, susceptible, espérons-le, d'inspirer des œuvres littéraires à venir.

Enfin, nous ne saurions terminer cette présentation sans exprimer notre reconnaissance envers le Musée national du Canada qui nous a permis financièrement d'effectuer aux Îles les recherches qu'exigeait pareil travail et qui nous autorise à le publier, ainsi qu'au ministère des Affaires culturelles du Québec pour la subvention substantielle accordée à cette publication.

Père Anselme Chiasson

Chapitre I

Légendes d'inspiration historique

1. Le nom des îles de la Madeleine

Il est généralement admis des historiens que les îles de la Madeleine ont reçu leur nom de François Doublet qui, en 1663, obtint ces îles en concession de la Compagnie des Cent Associés. Il leur donna ce nom en l'honneur de son épouse, Madeleine Fontaine.

Mais souvent la légende fait fi des données de l'histoire. Bien plus, elle ne se contente pas en l'occurrence d'une seule origine à cette appellation des Îles ; elle en fournit plusieurs qui dépassent, par leur côté pittoresque, la réalité historique.

A) La première remonte à Christophe Colomb lui-même. L'une de ses filles aurait été enlevée à Québec par des pirates. Christophe Colomb, qui n'était pas suffisamment armé pour les attaquer, se contenta de les suivre de loin, guettant la chance de reprendre sa fille par ruse. Les ravisseurs voguèrent jusqu'aux îles de la Madeleine où ils accostèrent au Grand Étang, entre la Pointe aux Loups et la Grosse Île. Ayant déposé la fille à la côte avec quelques gardiens, ils s'éloignèrent pour aller mouiller leur bateau au large. Colomb sut profiter de ce temps favorable pour se faufiler jusqu'à terre en chaloupe et reprendre sa fille ; puis il se sauva vers son navire qu'il avait su dérober à la vue des pirates. Mais il n'avait que quatre rameurs avec lui et un franc-tireur nommé John. Quand les bandits s'aperçurent de l'enlèvement de leur prisonnière, ils prirent un doris à huit rameurs et se lancèrent à sa poursuite. Se voyant rejoint, Christophe Colomb dit à John, le franc-tireur : *Tue-z-en deux*. Bang ! Bang ! et deux brigands tombèrent. Un peu plus loin :

Tue-z-en un autre. Aussitôt dit, aussitôt fait. Cela lui permit de gagner son bateau et de fuir avec sa fille délivrée. Or, cette fille se nommait Madeleine et le nom fut donné aux Îles où l'événement s'était déroulé. [J. D.[1]]

D'autres variantes de cette légende, plus répandues et historiquement plus logiques, ne mentionnent pas Christophe Colomb ni le nom de John, mais se contentent de désigner comme sauveurs les parents de Madeleine et son fiancé, le franc-tireur.

B) Ce nom viendrait d'une autre Madeleine, qui fut elle aussi enlevée par des pirates et brûlée par eux sur une colline des Îles. Une autre légende veut qu'une jeune fille ait été brûlée de cette façon sur une éminence de Havre-Aubert et que le nom de Demoiselles donné à ces collines vienne de là. C'est peut-être la même légende qui, selon le cas, sert à l'appellation de toutes les Îles ou de quelques-uns de ses monts. [L. L.]

C) Bien avant que ces îles fussent habitées, des bateaux de pêcheurs européens, basques ou autres, sillonnaient les eaux du golfe. L'équipage de l'un de ces navires, passant en vue des Îles, un 22 juillet, fête de sainte Madeleine, leur donna le nom de la sainte du jour. [A. L.]

D) Des marins qui pêchaient dans ces parages entendirent pleurer sur la côte du cap Blanc, au Bassin. Ils crurent que c'était une femme perdue en cet endroit et allèrent à sa recherche. Ils se rendirent compte qu'il s'agissait du petit d'une *vache marine* (morse). « Elle pleure comme une Madeleine », dit l'un deux. Le nom est demeuré. [C. C.]

E) La première femme à venir demeurer aux Îles vécut à L'Anse-à-la-Cabane et elle se nommait Madeleine. Par galanterie, les hommes donnèrent son nom à l'archipel. [C. C.]

F) La première fille née en ces lieux reçut le nom de Madeleine. On baptisa les Îles du même nom en son honneur. [A. L.]

G) Les naufrages de bateaux étrangers survenus aux Îles dans le passé sont innombrables. À l'occasion de l'un de ces drames,

[1] À chaque légende, nous indiquerons ainsi les initiales de l'informateur.

seule une femme fut rescapée. Elle s'appelait Madeleine. De là le nom : îles de la Madeleine. [A. L.]

2. Le premier Blanc aux îles de la Madeleine

Les pêcheurs européens et les chasseurs de *vaches marines* fréquentaient déjà les Îles de longue date, mais sans y demeurer.

C'était au temps des corsaires. Ceux-ci étaient des forbans qui vivaient de rapine et de pillage. Ils attaquaient les navires, tuaient les membres de l'équipage, pillaient le bateau et le coulaient afin de ne laisser aucune trace de leurs méfaits. Quand ils descendaient dans un port ou dans une ville, ils évitaient de révéler leur profession et se faisaient passer pour des *messieurs*.

À cette époque, les rois faisaient la loi. Et pour alimenter en rameurs les navires du royaume, beaucoup de criminels étaient dirigés vers les galères plutôt que vers la prison ou la potence. Les capitaines de navires privés qui manquaient d'hommes s'entendaient avec le roi ou les gouvernants pour ainsi acheter des galériens. Les capitaines de corsaires en faisaient autant.

Ces forçats étaient souvent des *durs à cuire* et même, il s'en trouvait parmi eux dont l'ambition n'était autre que d'évincer le capitaine et de s'emparer du navire. Ces audacieux auraient alors gagné à leur complot des compagnons et même des membres de l'équipage. Il suffisait de tuer le capitaine et quelques chefs, comme les seconds ; les autres n'avaient d'autre choix que de se rendre, puis le promoteur de la conspiration prenait le commandement du navire. Mais si le complot était découvert avant son exécution, le téméraire qui l'avait ourdi était pendu à la grand-vergue.

C'est ce qui arriva sur un navire corsaire qui se trouvait dans l'Atlantique, au large de Cap-Breton. Le complot avait échoué et le coupable devait être pendu. Mais celui-ci réussit à s'échapper de nuit dans une chaloupe, emportant avec lui son fusil, du plomb, de la poudre, des outils, une hache et un couteau. Ce genre d'homme n'avait guère de valeur aux yeux du capitaine qui ne chercha pas à le rattraper mais continua sa route.

Notre homme eut la chance de *faire terre* à Cap-Breton, du côté de la ville actuelle de Sydney. Ce n'était pas la première fois qu'il naviguait et il connaissait la mer. Or, dans ses voyages, il avait déjà entendu parler des îles de la Madeleine. On lui avait même assuré que ces îles recelaient de l'or en quantité. Il voulut s'y rendre et commença par traverser le Cap-Breton. Il finit par arriver au lieu, alors inhabité, qu'on appellera plus tard Chéticamp.

Comme, pour éviter tout soupçon, il avait laissé aller sa chaloupe à la dérive, il décida de bâtir un radeau pour atteindre les Îles. Il le construisit avec des troncs d'arbres. Vu que la forêt s'étendait jusqu'au bord des caps et surplombait la mer, il n'avait qu'à couper les arbres et les laisser tomber dans l'eau. Il bâtit un radeau d'une dimension de vingt coudées de longueur et de six de largeur. À cette époque, il n'était pas question de pieds ni de pouces, mais des coudées. Une coudée mesurait un pied et demi. Pour qu'il fût solide, il fallait mettre des traverses sur ces *billots*[2] et lier le tout fortement. Mais comment faire sans clous, ni câbles, ni cordages ? Au dire des vieillards, à Chéticamp, il y avait des savanes dans lesquelles on trouvait du *toubi*, espèce de racine de quinze à vingt pieds de longueur qui pouvait servir de lanière. C'était plus fort que le câble. Il lia donc les pièces de son radeau avec du *toubi*. Ensuite, il construisit un abri, appelé alors un demi-tonneau, qu'il fixa sur le radeau de façon que la mer ne l'emportât pas ; puis au moyen de coups de fusil, il y fit des trous d'aération.

Comme il n'y avait point de moteurs à cette époque, il érigea un mât d'une douzaine de pieds. Il lui fallait une voile aussi ; mais il n'avait pas de toile pour en fabriquer, ni de fil, ni d'aiguilles. Or, à Chéticamp comme partout ailleurs, les lièvres pullulaient à un tel point qu'on pouvait les attraper avec les mains. Il leva donc cent peaux de lièvres. Une peau étendue formait à peu près un pied carré. Cent peaux donnaient une jolie toile, de taille respectable ! Il les laça avec de la peau d'anguille car ce poisson abondait, comme les lièvres. Une fois sa voile achevée, elle était plus forte que de la toile.

Quand tout fut prêt, vu que les îles de la Madeleine sont situées au nord de Chéticamp, il attendit un bon vent du sud. Il partit par une tempête de 60 à 70 milles à l'heure. Il n'était pas peureux ! Il réussit à traverser et *fit côte* à Havre-Aubert en dehors de la baie. En touchant aux pierres de la grève, le radeau se brisa ; mais lui put se sauver.

Il se trouva donc tout seul sur les îles de la Madeleine. Il se construisit d'abord une cabane ; et ensuite, il se mit à chercher de

[2] Longues pièces de bois non travaillé.

l'or. S'il venait à en trouver, il signalerait un navire qui ne manquerait pas de passer dans les parages des Îles. Mais de l'or, il n'y en avait pas. La tradition veut qu'il se rendît jusqu'au Gros Cap dans l'île du Cap aux Meules, sans rien trouver. Par-dessus le marché, il ne passait pas de bateaux. Il vécut ainsi deux ans dans les Îles où il faillit bien mourir de faim.

Au bout de deux ans, il aperçut des navires. C'étaient des Européens, probablement des Basques, qui venaient chasser la *vache marine*. Ils entrèrent dans la baie du Havre aux Basques, aujourd'hui fermée, mais qui, dans le temps, était ouverte et profonde. Ces chasseurs tuaient la *vache marine*, faisaient fondre les graisses aux Îles et emportaient en Europe l'huile dans les barriques. Notre individu se mit en contact avec eux et obtint qu'ils le déposent à Cap-Breton à leur retour.

Il s'agit donc du premier Blanc qui ait séjourné aux Îles, et c'est lui-même qui aurait conté son histoire à des pionniers acadiens. [L. L.]

3. Les hommes forts

Il y aurait une étude très intéressante à faire sur les hommes forts, les héros acadiens. Louis Cyr au Québec, descendant d'Acadiens, est célèbre. En Acadie, Gros Jean[3] à Saint-Anselme, les Broussard dans la région de Chéticamp et combien d'autres furent doués d'une force herculéenne et inimaginable. Les îles de la Madeleine ont connu leurs hommes forts qui sont devenus légendaires.

Louis Thériault

Surnommé Canichon, Louis Thériault fut un des pionniers des Îles. Il se logea d'abord à Grosse-Île, puis ensuite à Havre-aux-Maisons. Il aurait été au nombre des déportés acadiens alors qu'il était encore enfant. Aurait-il été exilé en Angleterre comme tant d'autres qui y furent prisonniers jusqu'en 1763 ? Peut-être, puisque la tradition nous assure qu'il fut mousse sur un navire anglais. Il était d'une force extraordinaire. En voici quelques manifestations typiques.

Sur le bateau anglais, où il avait débuté comme mousse, il était le souffre-douleur de l'équipage. Mais il grandit, et un jour

[3] Voir le deuxième *Cahier de la Société historique acadienne*, p. 35-47.

il prévint le capitaine d'avertir ses hommes qu'il ne souffrirait plus longtemps leurs « molestations ». Le capitaine lui dit : « Défends-toi. » « Très bien ! lui répondit Louis, je m'en charge ! » De sa main ouverte, il frappa le premier matelot qui vint l'agacer. Le coup fut si fort que le marin alla s'assommer raide mort sur le mât du navire. Il y eut un procès. Mais comme il n'avait pas eu l'intention de le tuer, on le libéra sous caution, à la condition de ne jamais toucher à un homme à moins que ce ne fût pour se défendre contre sept. [E. F.]

Sur le même navire, un jour, sept matelots essayaient en vain de monter une ancre par-dessus bord. Louis arrive et seul la monte et la place sur le pont.

Aux îles de la Madeleine, un gros taureau, enragé et dangereux, était en liberté dans un champ et on ne pouvait pas l'attraper. On eut recours à Louis. On arrêta le plan suivant : les hommes avec des chiens chasseraient la bête par une barrière. Au passage, Louis la saisirait par une corne. C'est ce qu'il fit. La charge du taureau fut telle que la corne céda ; mais elle resta dans les mains de Louis.

Son épouse était toute petite. Et les soirs d'hiver, quand ils allaient veiller, il la portait sous son bras. [E. F.]

Louis à Désiré Poirier

Louis Poirier aurait eu 70 ans en 1964 ; mais il est décédé. Un jour, il se trouvait dans la ville de Québec. Un postillon entré dans un magasin avait laissé son cheval, méchant et dangereux, sur le bord de la rue. Une jeune fille qui voulait passer sur le trottoir ne le pouvait pas. Le cheval voulait la mordre. Louis, qui se trouvait là, fit passer la demoiselle. Le cheval s'avança sur lui, mais Louis lui asséna un coup de poing en plein front qui l'étendit, assommé raide. Le postillon, qui avait vu la scène, surgit en colère. Louis lui dit : « Calme-toi ou bien je t'*épâre*[4] à côté de ton cheval ! » [E. F.]

Evé Fougère

Evé Fougère était très doux de caractère. Comme il était doué d'une force peu commune, il suscitait la jalousie des fanfarons. Un jour, l'un d'eux se mit à le taquiner avec l'intention bien arrêtée de le battre. Evé ne se fâchait pas. Mais l'autre le

[4] *Épârer* : étendre.

piquait, l'humiliait, l'insultait même. À un moment donné, pris d'une colère subite, Evé le frappa et le tua d'un coup. Il fut mis en prison, bien sûr, et dut subir un procès. Il y déclara qu'il n'avait pas frappé pour tuer; qu'il ne connaissait pas sa propre force. Autrefois, les jugements n'avaient pas la rigueur de ceux d'aujourd'hui. On emmena un gros bœuf au procès et on invita Evé à prouver sa force en essayant de le tuer d'un coup de poing. Evé frappa et, au premier coup, le bœuf tomba. Un deuxième coup l'acheva. Evé fut libéré, mais à condition de ne plus jamais frapper personne. [E. F.]

4. Un homme mystérieux

Un jour, un étranger à l'allure bizarre aborda l'île d'Entrée. C'était vers 1880 ou 1890. À cette époque, l'île était encore en partie couverte de forêts. L'inconnu gravit ces montagnes qui dominent toutes les Îles et alla se bâtir un camp dans le joli vallon qui porte aujourd'hui son nom, Mauger Vale.

L'homme mystérieux se mêlait rarement aux habitants de l'endroit. Au début, les gens se méfiaient de lui. Sa présence les inquiétait; avec le temps, sa vie d'ermite parut inoffensive et inspira même le respect. Il vécut dans ce vallon plusieurs années.

Mais un jour, les insulaires se rendirent compte qu'ils ne le voyaient plus depuis assez longtemps. Inquiets, ils allèrent lui rendre visite. La cabane était vide et aucun indice ne pouvait aider à le retrouver. S'était-il enfui? Était-il mort quelque part dans les bois? On fit des recherches intenses en tous sens et en tous lieux, mais en vain. Longtemps après, on identifia quelques pièces de ses vêtements que la mer avait jetées sur la grève. S'était-il donné la mort en se jetant du haut de la falaise? Avait-il été victime d'un accident de chasse? On ne le saura jamais, comme on ignorera toujours qui il était et d'où il venait. On a émis toutes sortes d'hypothèses sur son compte. On a même prétendu que c'était un repris de justice, voire un meurtrier, qui fuyait la vengeance des tribunaux. On n'en sut jamais rien.

Enfin, un peu plus tard, un habitant de l'endroit eut la surprise de sa vie. Alors qu'il se promenait sur le bord d'une falaise, il découvrit une pierre avec ces lettres gravées dessus: Mauger Monay de Monay. Les gens eurent vite fait de traduire Monay par *money*. Cet individu aurait-il caché une somme d'argent en cet endroit ? On s'arma de pics et de pelles et on se mit à la recherche du trésor. Ce fut sans succès.

Le nom Mauger Vale demeure pour rappeler cet individu dont l'origine, la venue, la vie et la mort demeurent mystérieuses. [A. L.]

5. La pierre de Jacques Cartier

Autrefois, on pouvait voir sur une élévation, à l'entrée du quai de Cap-aux-Meules, une pierre avec des lettres gravées dessus. La tradition et sans doute la légende font remonter cette inscription à Jacques Cartier lui-même lors de son voyage de 1534. Quand on a construit le quai actuel de Cap-aux-Meules, on s'est servi des pierres prises dans le cap pour faire les cales. La pierre de Jacques Cartier a pris le même chemin. [A. L.]

6. Le parler des gens de Havre-aux-Maisons

Quiconque connaît les îles de la Madeleine sait que les gens de Havre-aux-Maisons possèdent un parler vraiment original, vraiment à eux. En plus d'avoir une voix fortement gutturale, ils semblent supprimer la lettre « R» de leur prononciation. Pour l'oreille d'un étranger, cette élision est complète. L'origine de ce particularisme demeure un mystère… pour les linguistes, pas pour la légende.

En France, durant la Révolution française, des ennemis de la monarchie auraient supprimé la lettre « R» dans leur parler, parce qu'elle était la première du mot « Roi». Pendant ou après la Révolution, des Français qui avaient subi cette influence seraient venus s'établir à Havre-aux-Maisons et ont fini par imposer leur manière de prononcer à toute la population de ce canton. [O. H.]

7. Un dicton populaire

Le dicton « l'enfer est dans l'est» est très répandu aux îles de la Madeleine. Des raisons actuelles pourraient légitimer sa naissance aux Îles. Ainsi, le vent d'est chasse le poisson ; contre lui, on ne trouve pas d'abri. Il est sans pitié. Mais la légende remonte plus haut. Cette expression viendrait de pêcheurs méditerranéens qui se trouvaient à l'ouest du volcan Etna, un jour que celui-ci fit irruption. Le volcan se dessinait à l'est dans l'horizon. Pour les pêcheurs, ce fut un spectacle d'enfer. De là l'expression « l'enfer est dans l'est» qui s'est transmise de siècle en siècle. [A. L.]

CHAPITRE II

LÉGENDES D'INSPIRATION RELIGIEUSE

1. Les avertissements

Il ne s'agit pas ici d'avertissements faits de personne à personne, ce qui arrive très souvent dans la vie et qui, comme tel, n'a rien de légendaire. Nous voulons parler d'avertissements mystérieux qui se classent en deux catégories. Les premiers, que nous appellerons « prémonitions », annoncent des événements à venir, surtout malheureux comme sa mort prochaine ou celle des autres, ou encore des tragédies. Ceux de la seconde catégorie arrivent pour corriger la conduite répréhensible de quelqu'un et souvent pour servir de leçon aux autres ; ils peuvent se classer sous la rubrique : « corrections ou châtiments ».

A) *Les prémonitions*

a) *Un vieillard prévenu de sa mort*
Le vieux Deraspe était reconnu pour son grand esprit de foi. C'était une espèce de vieux saint. Il était encore en pleine santé quoique assez avancé en âge. Un jour, il prit sa hache et s'en fut dans la forêt couper sa provision de bois de chauffage. C'était un travail nécessaire à cette époque, tandis qu'aujourd'hui, tout le monde a son huile ou son charbon dans sa cave. Rendu dans le bois, il entendit une voix. Elle lui dit : « Quitte ta hache là. Va-t'en chez toi et prépare-toi à la mort parce que tes jours sont comptés. » Le vieux Deraspe, fort surpris mais non découragé, s'en retourna à la maison. Il raconta ce fait à son épouse, puis il se prépara à paraître devant le Grand Juge. Il alla à la confesse et pria encore plus que d'habitude. Au bout de huit jours, il mourut. [E. L.]

b) *Une lumière qui annonce le décès d'une jeune fille*
Bill Chapman racontait que, dans sa famille, on avait un soir envoyé une grande fille chercher un seau de farine au hangar situé à cinquante pas de la maison. Sa petite sœur la suivit. C'était l'hiver et il n'y avait qu'une petite route battue dans la neige. La grande sœur marchait en avant. Les gens de la maison ont alors aperçu une lumière, comme une chandelle, qui les accompagnait sur le sentier. Ils crurent que la sœur aînée allait mourir bientôt, mais ne lui dirent rien. Or, c'est la sœur cadette qui mourut huit jours plus tard. [Mme S. N.]

c) *Son cercueil vu dans un miroir*
Un jeune homme et sa *blonde* avaient veillé ensemble. Durant la soirée, ils s'étaient amusés à parler de toutes sortes de superstitions, en particulier de celle qui consiste à placer un miroir sous son oreiller le soir pour y voir à minuit le visage de sa future ou de son futur. De retour chez lui, le garçon voulut essayer cette pratique superstitieuse ; mais à minuit, quand il se leva pour regarder dans son miroir, au lieu d'un visage de jeune fille, il aperçut un cercueil suivi d'une longue lignée de voitures. Il appela sa mère. Celle-ci tenta vainement de le rassurer. Huit jours après, il était mort. C'était vers 1918. [Mme S. N.]

d) *La vision d'un cercueil*
C'était en 1892. La goélette *L'Espérance* allait se perdre corps et biens. Quelque temps avant le désastre, on construisit un canot pour cette goélette ; et, comme c'était la coutume alors, on le bâtit dans une maison privée. Les voisins s'y rendaient souvent voir avancer le travail et, au besoin, donner un coup de main. Un jour, l'un d'eux en entrant aperçut un cercueil au lieu du canot. Doutant de lui, il n'osa en parler à personne. Ce n'est qu'à la suite du naufrage qu'il révéla ce qu'il avait vu. [Mme A. L.]

e) *Des bruits étranges de la vague*
Des Anglais de la Grande Échouerie partaient en bateau pour Grande-Entrée. L'épouse de l'un d'eux, avant leur départ, avait entendu un bruit semblable à deux vagues de la mer qui auraient frappé la maison. Son mari et son fils se noyèrent durant le trajet.

f) *Des gouttes de sang*
Un homme des caps ouest fabriquait gratuitement les cercueils de tous les morts de son canton. Un jour qu'il se dévouait à cette œuvre charitable, une goutte de sang en forme de croix tomba sur la planche qu'il rabotait. Il voulut essuyer la tache, mais elle ne partit pas. Alors il passa son rabot dessus. Plus il rabotait, plus la tache s'agrandissait. Il aurait traversé la planche que la tache serait demeurée là. Il revint à la maison sans en souffler mot. Quelques jours plus tard, l'un des siens se noyait. C'est à ce moment seulement qu'il raconta l'événement en assurant qu'il avait eu le pressentiment d'une mort prochaine. [Mme M. M.]

g) *Un cas de télépathie*
Un vieillard de Boisville avait rendu visite à sa fille qui s'était mariée et demeurait à L'Anse-à-la-Cabane. À cette époque, ces visites se prolongeaient pendant des jours et même des semaines. Quand il était parti de chez lui, une vieille dame de Boisville était gravement malade. Chez sa fille, il était sans nouvelles de la vieille, parce que le téléphone n'était pas encore installé aux Îles. Un dimanche matin, comme L'Anse-à-la-Cabane est loin de l'église, ils ne purent aller à la messe, mais ils se mirent à genoux selon la coutume, pour dire le chapelet. C'est notre vieillard qui le récitait. Après la deuxième dizaine, il s'arrêta net et dit : « La vieille de chez nous vient de mourir ! » Puis, il continua le chapelet. Quand, plus tard, on obtint les renseignements voulus, on se rendit compte que la vieille était morte exactement à l'heure où il en avait annoncé la nouvelle. [Mme S. N.]

h) *Un pêcheur prévenu d'un danger*
Placide Noël, le matin du « naufrage des gens du maquereau », le 23 août 1894, averti par une intuition mystérieuse et forte, défendit formellement à ses fils de sortir à la pêche. « Vous allez voir ! Vous verrez ! » leur répétait-il. Il n'y avait aucune apparence de mauvais temps et ses fils rirent de lui. Ils n'osèrent sortir pourtant, car il menaçait de défaire leur embarcation plutôt que de les laisser aller. C'était le matin. La tempête éclata vers dix heures et demie et fit cinq victimes. [D. M.]

i) *La disparition de la* Flash

En 1881, une goélette des Îles, la *Flash*, quittait Havre-Aubert pour entreprendre un voyage aller et retour à Québec. Elle partait chargée de poissons, et les membres de l'équipage apportaient l'argent que les Madelinots leur avaient confié pour des achats. Avant leur départ, ils avaient fait connaissance avec les hommes d'un bateau de Baie-Saint-Paul qui était venu faire escale à Havre-Aubert. Les deux goélettes partirent ensemble le même matin. Puis, des mois passèrent et la *Flash* ne revenait pas. Elle n'est jamais revenue. Elle ne se rendit pas à Québec non plus. Elle avait disparu mystérieusement. Les navigateurs madelinots s'informèrent dans tous les ports de mer de l'Atlantique et du golfe. Aucune trace de la *Flash*. On raconte que, sur son lit de mort, le cuisinier du bateau de Baie-Saint-Paul aurait révélé que son équipage avait attaqué la *Flash* pour la piller le premier soir après leur départ de Havre-Aubert. Les Madelinots avaient été mis à mort et leur bateau coulé[1].

La disparition de la *Flash* est un fait historique. La façon dont elle disparut, comme le veut la tradition, semble tenir de la légende. Mais à l'occasion de ce drame, une autre légende a pris naissance. La voici. Le matin du départ, un des membres de l'équipage, Laurent Cormier, ne voulut pas s'embarquer. Une voix mystérieuse, celle de sa défunte mère, l'aurait averti, la nuit précédente, de ne pas faire ce voyage. Il se fit donc remplacer par un Boudreau de Havre-Aubert. Toute sa vie, Laurent Cormier a persisté à défendre la véracité de ce récit. [Mme J. C.]

j) *Naufrages de bateaux connus d'avance*

La légende qui suit est connue sous deux variantes à peu près identiques. Voici la première.

C'était un nommé John Decosse. Il demeurait à Pointe-aux-Loups et fréquentait souvent les dunes, soit pour faucher du foin, soit pour ramasser des *billots* à la côte. Il couchait fréquemment dans des cabanes que les gens construisaient là pour la saison des foins. Ce Decosse était un homme qui n'avait peur de rien.

Un soir qu'il s'était retiré avec son chien dans une de ces cabanes, et qu'il était en train de préparer son souper, il entendit des bruits étranges, comme si un bateau s'échouait. Il distinguait le bruit des chaînes, de l'ancre qu'on mettait à l'eau, des planches

[1] *Les îles de la Madeleine et les Madelinots*, par Paul Hubert, Rimouski, 1926, p. 156-158.

ou des madriers qu'on lançait à la mer, les cris de l'équipage dans le tintamarre d'une tempête. Vite, il se rendit sur les lieux ; mais il n'y avait rien. Intrigué, il revint à la cabane continuer son souper. Tout à coup, la flamme du poêle fit un pouf ! Le feu se répandit partout sur le plancher puis tout s'éteignit, même son fanal. Ensuite, il entendit des pas autour de la cabane, des pas d'hommes chaussés de bottes et vêtus d'habits cirés. Il crut que des gens arrivaient. Mais non, personne n'est entré. Durant tout ce temps, son chien avait le poil hérissé comme un sanglier et grondait à faire peur. John lui ouvrit la porte. En sortant, il se mit à se battre avec un autre chien, mais un chien invisible. Des bruits et des scènes étranges continuèrent ainsi une bonne partie de la nuit.

Le lendemain, tout était calme et aucun bateau ne s'était jeté à la côte. Le jour même, John se rendit chez le curé, le père Des Finances, et lui raconta son aventure. Le prêtre lui dit : « Ce phénomène dont tu me parles signifie que si un bateau n'a pas déjà *fait côte* à cet endroit, il y en aura un avant longtemps. »

De fait, quinze jours plus tard, un brick chargé de madriers à destination de l'Europe vint se perdre au même endroit qui porte aujourd'hui le nom de l'anse de P'tit-Brick, entre Pointe-aux-Loups et Grosse-Île. John se trouva là de nouveau. Et tout ce qu'il avait entendu quinze jours auparavant, il le revécut mais, cette fois, dans la réalité. Le bruit des chaînes, des ancres, le cri des hommes et tout. Les hommes de l'équipage qui se sauvèrent marchaient en habits cirés et leur chien rendu à terre se battit avec le sien. C'était un brick de la Norvège, le *Norwegian*, disent les Madelinots. [J. L.]

La seconde version nous est racontée par M. Gildas LeBlanc.

« Une fois, mon père Eusèbe LeBlanc et son frère Gildas sont partis pour la chasse à la dune de l'est, par Pointe-aux-Loups. Vers minuit, le mauvais temps *a pris*. Ils se sont dit : "On n'est pas capable de retourner chez nous par un temps semblable." Une barge de foin se trouvait là tout près ; ils s'y sont introduits pour y passer la nuit et ont essayé de dormir.

« Peu de temps après, mon père, qui ne dormait pas encore, a commencé à entendre du bruit : comme un bâtiment qui larguait ses ancres à l'eau. Puis, c'était comme si on avait jeté des planches sur un radeau à la mer. Ça faisait un train ! Mon père ne pouvait pas dormir ; mais il croyait que son frère dormait. Après un certain temps, il a demandé à son frère :

— Es-tu réveillé ?

— Oui, je suis réveillé.

— Entends-tu ce que j'entends ?

— Comme de raison, j'entends. Il y a une demi-heure que ça dure !

« Ils se sont dit : "Ce doit être un bateau de chenal qui est parti en dérive et qui va *faire côte* ici. On va y aller." Ils se sont rendus sur la grève, du bord de la baie. Il ne paraissait rien. Le lendemain matin, ils sont allés voir la mer du côté nord, où ils étaient certains de trouver un brick à la côte. Mais, là non plus, il n'y avait rien.

« Le jour même, ils ont été conter cette histoire au père Des Finances, prêtre français qui était curé aux Îles. Il leur a dit : "Cela signifie qu'avant longtemps, vous verrez en réalité ce que vous avez entendu cette nuit."

« Peu de temps après ces événements, mon père et mon oncle sont retournés sur la dune. Et tout ce qu'ils avaient entendu d'une façon si mystérieuse, ils le virent se réaliser sous leurs yeux. C'était encore une tempête. Et un brick chargé de madriers est venu s'échouer à l'anse qui désormais porte son nom : l'anse de P'tit-Brick. Comme la première fois, ils furent réveillés par le bruit des ancres, des chaînes et des madriers qu'on jetait à l'eau. Mais ayant couru à la côte, ils furent témoins d'un véritable naufrage. Cette nuit-là, c'était réel. » [G. L]

B) *Les corrections ou châtiments*

a) *Un violon qui joue tout seul*

À un moment donné, il n'y avait qu'un joueur de violon aux Îles. Il était demandé partout ; on se l'arrachait. De son côté, lui, il était devenu tellement intéressé à son violon qu'il en négligeait ses devoirs de chrétien. Il n'assistait plus à la messe, n'allait plus à confesse, ne faisait plus de prières. Aussi bien dire qu'il avait abandonné sa religion. Il jouait du violon tout le temps.

Mais un soir, sur le chemin du retour après une veillée, le violon s'est mis à jouer tout seul. Il a joué tout le long du trajet jusqu'à la maison. À partir de ce moment, chaque fois que notre *violoneux* s'en revenait ainsi d'une veillée, et c'était tous les soirs, son instrument recommençait le même jeu. Dans le but de déjouer le sortilège, il l'a fait porter par un compagnon. Mais le violon a joué des *reels* que tout en sonnait.

Alors la peur s'est emparée de notre joueur. Il est allé trouver le prêtre qui lui a dit: « Prends ton violon et jette-le au feu. Fais-le brûler. Puis viens à la messe et à confesse. Dis tes prières et fais ta religion. »

Il a jeté son violon au feu et tout le tapage a cessé. [L. L.]

b) *La retraite paroissiale*

Autrefois, une croyance voulait que, à l'occasion de chaque retraite paroissiale, il se produise un drame, un malheur dans la paroisse où elle avait lieu, pour rappeler aux gens la caducité de leur vie terrestre et l'importance de leur fin surnaturelle. Certains de ces drames prenaient la forme d'un avertissement et tiennent de la légende. En voici un.

Pendant longtemps, la seule église dans toute l'île du Cap aux Meules était située à La Vernière. La première retraite dans cette paroisse eut lieu un automne. Il fut recommandé à tout le monde de la suivre. Les pêcheurs pouvaient continuer leur métier sans manquer les exercices de la retraite à condition de ne pas s'éloigner de l'Île.

Deux pêcheurs, cependant, au mépris des recommandations reçues, quittèrent la paroisse la veille de la retraite pour s'en aller passer toute la semaine à l'île Brion. Le lendemain, comme il faisait beau, ils partirent en mer et, arrivés sur le fond de pêche, jetèrent leurs lignes à l'eau. Tout à coup, une espèce de monstre marin, un gros poisson comme ils n'en avaient jamais vu, sortit des profondeurs de la mer, se hissa en travers sur leur barge et se mit à la faire chavirer. L'eau rentrait dans le bateau à faire peur ! Ils se crurent perdus. Ils promirent alors une messe, jurèrent d'abandonner la pêche et de s'en retourner tout de suite faire leur retraite.

La barge était déjà à demi pleine d'eau quand le poisson la quitta pour disparaître dans l'abîme. Ils ne passèrent point à l'île Brion au retour, mais revinrent directement chez eux et ils suivirent leur retraite. [P. H.]

c) *Le jeu à l'argent*

Le *bluff* était un jeu de cartes à l'argent, où l'on trichait et volait. Il était mal vu des gens respectables et, d'ordinaire, seules les personnes sans scrupules et peu honorables s'y abandonnaient. Pour corriger ces joueurs fautifs, les avertissements préternaturels furent fréquents, selon la légende. En voici quelques-uns.

Le petit bœu' noir

Des Madelinots ont émigré en grand nombre sur la Côte-Nord pour y demeurer. Certains d'entre eux cependant sont revenus après quelques années d'exil. Ils ont rapporté avec eux des légendes qui sont devenues partie intégrante du patrimoine des Îles et qui méritent d'être racontées ici. L'une des plus belles est celle du petit bœu' noir.

Un Canadien de Chicoutimi racontait à Shipshaw que, durant sa jeunesse, une des grandes tentations à laquelle on ne résistait pas facilement en revenant des chantiers, c'était de jouer aux cartes à l'argent, à ce jeu appelé le *bluff*. Lui-même admettait que c'était un *failli*[2] jeu dont l'aboutissement ordinaire était les chicanes et les discordes.

Trois jeunes gens de retour des chantiers et mordus de cette passion, ne trouvant pas de maison où l'on voulut leur permettre de se livrer à ce jeu, décidèrent d'aller dans une cabane à sucre à l'écart de tout le monde. Ils n'étaient que trois ; mais chemin faisant, ils rencontrèrent un inconnu. Ils l'invitèrent à se joindre à eux ; ce qu'il fit de bon cœur. Ses poches étaient pleines d'argent et il dit : « On va avoir une belle partie de cartes ce soir ! »

Mais vers onze heures, la chicane commença, l'inconnu ne jouait pas honnêtement. Il *paquetait*[3] les cartes ; il empochait tout l'argent. On en vint aux gros mots, presque aux coups. Alors, l'étranger les menaça : « Si vous n'arrêtez pas, je ferai venir le petit bœu' noir ! » Comme ça criait encore plus fort, il fourra sa main dans sa poche et *aouindit*[4] un bout de craie. Il se pencha et se mit à tracer une ligne sur le plancher *tout le tour* de la table où l'on jouait. Il prenait bien soin de ne pas laisser de manques ; il s'appliquait à dessiner une ligne bien blanche et bien visible. Ses compagnons se mirent à rire de lui.

---

[2] *Failli* : mauvais.

[3] *Paqueter* : tricher.

[4] *Aouindre* : sortir.

À l'entrée de la cabane, il y avait une grande plate-forme de deux pieds sur six. Quand l'inconnu eut fini de tracer son cercle à la craie, on entendit : pac, pac, pac ! sur le marche-pied. On a cru que c'était quelqu'un qui arrivait. La porte s'ouvrit toute seule et le petit bœu' noir entra. Il se mit à circuler tranquillement dans la cabane. Les joueurs demeurèrent bouche bée, blêmes comme des morts. La bête fit le tour de la table comme si elle eût voulu pénétrer à l'intérieur du cercle de craie ; mais arrivée à la porte, elle sortit de la cabane. Personne ne dit mot. Chacun prit sa casquette puis… dehors ! Ils ne jouèrent jamais plus au *bluff*. [W. B.]

Un baril de viande saute au plafond

« Voici un fait dont mon père, qui est mort maintenant, fut témoin et de qui je l'ai entendu raconter plus de vingt-cinq fois, nous assure un charmant narrateur, qui continue : C'était à la Grande Échouerie. Des gens de différents coins des Îles venaient là y faire la pêche. Quand ils étaient à terre, ils logeaient dans des cabanes. La plupart d'entre eux s'en retournaient dans leur foyer le samedi après-midi pour revenir le dimanche soir ou de bonne heure le lundi matin. Mais quelques-uns, trop éloignés de chez eux sans doute, demeuraient aux cabanes mêmes pour la fin de la semaine. C'est ainsi qu'une fois, une dizaine de pêcheurs étaient restés sur les lieux. Dès le samedi après-midi, ils se sont mis à jouer au *bluff*. Une pause pour souper, puis on continue. Seul mon père ne jouait pas. Dans la veillée, il leur a dit : "On va réciter le chapelet avant de se coucher." Lui, il ne se mettait jamais au lit sans avoir dit son chapelet. Mais ils l'ont envoyé promener. Mon père a fait ses dévotions tout seul puis s'est couché, tandis qu'eux ont joué toute la nuit.

« Le dimanche matin, mon père s'est levé pour aller à la messe. Avant de partir, il leur a dit : "Arrêtez de jouer à l'argent et venez à la messe !" Pas de ça ! On arrête pour manger, puis les cartes ! Le dimanche au soir, on continuait encore. Pas de messe, pas de prières, rien ! On jouait au *bluff* !

« Après avoir dit son chapelet, mon père est monté se coucher vers dix heures. Une demi-heure plus tard, il dormait déjà. Tout à coup, voilà le désordre dans la cabane ! Un quart, plein de viande de bœuf, qui se trouvait là, a volé dans les airs et est allé frapper au plafond pour retomber sur le plancher. Mon père s'est réveillé d'un coup. Les joueurs, pris de peur, ont tout laissé sur la table, cartes et argent; puis, c'était à qui atteindrait l'escalier le premier pour monter se coucher.

« Il n'a plus été question de *bluff* dans la cabane après ça. » [R. P.]

La même légende comporte certaines variantes chez d'autres informateurs. Le fait se serait passé un dimanche avant-midi. Ces pêcheurs étaient trop éloignés de l'église pour se rendre à l'office religieux, mais au lieu de réciter le chapelet à l'heure de la messe, ils continuèrent de jouer au *bluff*. La cuisinière fit des remontrances, mais ils se moquèrent d'elle. C'est à ce moment que le baril de viande se mit à sauter par trois fois sur le plancher, sans aller jusqu'au plafond cependant. Les joueurs jetèrent leurs cartes au feu et se mirent à genoux pour dire le chapelet. [A. L.]

Les mains noires

Ces cabanes sur les rangs de pêche étaient construites de façon fort rudimentaire. Ainsi, elles ne comportaient pas de cloisons à l'intérieur et jamais de caves. Mais pour que le plancher ne touche pas au sol, on les élevait de sept à huit pouces sur des piliers en bois ou sur de simples pierres. Dans le plancher, on pratiquait une petite trappe par laquelle on jetait des balayures et, souvent, les déchets de cuisine.

Dans une de ces cabanes, on avait joué à l'argent durant tous les moments libres de l'été et de l'automne. Une fois en particulier, on s'était livré à ce jeu toute la nuit du samedi et on avait continué le dimanche avant-midi. À l'heure de la messe, la cuisinière avait prié les joueurs de mettre leurs cartes de côté pour la récitation du chapelet. Rien à faire. L'un d'eux osa même dire : « Ça prendrait toute une paire de mains noires pour m'empêcher de brasser les cartes ! » Or, juste à ce moment, la femme allait jeter des déchets de table dans la trappe. Celui qui lui avait répondu s'est levé pour le faire à sa place. Il a ouvert la porte dans le plancher et il a jeté les pelures de pommes de terre. Mais horreur ! qu'est-ce qu'il aperçoit ? Deux grosses mains noires qui ont emporté les déchets. La partie de cartes s'est arrêtée là. (Mme C. B.]

Des bruits singuliers

Dans une maison, on jouait à l'argent tous les soirs et on trichait. On se laissait aller aussi à de grands abus de boissons alcooliques. Une servante, qui couchait en haut, entendait des bruits étranges de chaînes, de cris de fauves, etc. Un certain soir, n'y tenant plus, elle décide d'en avertir la femme de la maison. Celle-ci monte et elle aussi entend les mêmes bruits. Elle descend et chasse tout ce monde-là. [Mme S. N.]

Le bruit d'une tasse qui se vide

C'était à Pictou, à un endroit qu'on appelait alors la Tannerie. Des gens, dont quelques-uns des Îles, avaient joué au *bluff* tout un dimanche et ainsi avaient manqué la messe. Le soir, la partie finie, ils éteignent la lampe et montent se coucher. Une fois au lit, ils entendent brasser une tasse pleine d'argent qui se répand sur la table. Ils se lèvent et descendent, mais ne voient rien. Ils se recouchent et le bruit recommence. Ils n'ont plus joué à l'argent de leur vie. [W. B.]

Un gros chien noir

Une autre fois, dans des circonstances identiques aux cas précédents, un joueur laissa tomber une carte. En se penchant pour la ramasser, il aperçut un énorme chien noir sous la table. [W. B.]

Un corbeau mystérieux

Un autre dimanche, des hommes de la Pointe, à Havre-aux-Maisons, s'adonnaient au même jeu. Un gros corbeau, avec des cris bizarres et stridents, plongea par trois fois dans la cheminée et par trois fois remonta à pic dans les airs. [A. L.]

d) *L'abus des boissons alcooliques*

Avec le jeu à l'argent, l'abus des boissons alcooliques a été l'une des sources les plus fécondes en avertissements légendaires. En voici quelques exemples, au dire des informateurs.

Malgré les défenses du prêtre, un jeune homme entraîna quelques compagnons avec lui, et ensemble, pour aller chercher de la boisson, ils se rendirent en bateau à une goélette de contrebande qui louvoyait au large. À leur retour, un monstre marin sortit de l'eau et voulut les dévorer. Mais seul le jeune homme le vit. Il eut tellement peur qu'il en est devenu fou et en est mort. [L. L.]

……

Dans une maison, deux jeunes gens avaient fait du *chien*[5] dans un seau sur le feu. Vers minuit, la boisson était à point. On l'enleva et on la mit au froid sur un banc dans le tambour. Or, elle bouillit toute la nuit comme si elle eut demeuré sur de la braise. On ne fit jamais plus de *chien* dans cette maison. [E. L.]

……

Un homme buvait comme une tanche et naturellement vagabondait. Un soir, il arriva chez lui très tard, et qu'est-ce qu'il aperçut devant sa porte ? Un cheval noir assis sur son derrière. L'ivrogne se faufila et réussit à entrer quand même. Dans la maison, un gros chien noir ! Une fois la lampe allumée, tout disparut. [W. B.]

……

Dans une maison riche et fleurissante, on vendait beaucoup de boisson. Le curé d'alors prêchait fort contre ce négoce, mais ces gens n'en tenaient pas compte. Un jour, le prêtre prédit : « De cette maison-là, dans cinquante ans, il ne restera qu'un poteau. » Et aujourd'hui, cinquante ans après, là où s'élevait cette maison, il ne reste en effet qu'un poteau.

……

Deux hommes vendaient de la boisson en cachette. Le curé aurait dit en chaire : « Avant longtemps, on les reconnaîtra. » De fait, tous les deux sont devenus chauves d'un coup et furent ainsi reconnus.

……

Un « Français de France » tenait magasin à la tête du pont de Havre-aux-Maisons. Il y vendait de la boisson *en veux-tu, en voilà*, à la bouteille et au gallon. Mgr Jérémie-Auguste Blanquière fulminait contre ce vendeur et contre ceux de ses paroissiens qui allaient trop souvent visiter cette boutique. Si quelques-uns écoutaient, d'autres continuaient de se laisser aller à beaucoup d'abus.

---

[5] Boisson du pays.

Un printemps, une des goélettes qui se préparaient pour la chasse aux loups-marins avait comme membres d'équipage quelques habitués de ce magasin. C'était le temps des Pâques et le curé leur avait déjà refusé l'absolution parce qu'ils manquaient de ferme propos. Au moment du départ, leurs compagnons, qui n'étaient pas du même calibre, ont arrêté la goélette vis-à-vis de l'église et envoyé les quelques récalcitrants à confesse. La légende veut qu'ils n'aient pas été mieux disposés que la fois précédente et qu'ils se soient vu refuser l'absolution de nouveau[6]. Puis, ils sont partis. On les a vus pour la dernière fois dans la brume du côté de la Grande Échouerie. Ils se sont perdus, et l'on ignore comment. On n'a jamais rien retrouvé ni d'eux ni du bateau. La légende y voit la punition de la mauvaise conduite et de l'entêtement de ces ivrognes impénitents. [Mme A. L.]

……

À Aguanish, près de Natashquan, un homme d'une quarantaine d'années était un ivrogne scandaleux. Les sermons et les conseils maintes fois répétés du prêtre ne le touchaient pas. Il poussa l'audace jusqu'à dire à son curé : « Il n'y a pas un être sur la terre qui m'empêchera de boire, quand bien même il me pousserait des cornes. » Mais quelque temps après, il perdit tous ses cheveux en un clin d'œil, et des bosses, comme des moignons de cornes, commencèrent à lui pousser de chaque côté du front. Saisi de frayeur, il courut se jeter aux pieds du prêtre en pleurant et en demandant pardon. Ce dernier lui dit : « Allez en paix et ne recommencez plus. » Les cheveux ont repoussé, mais les bosses n'ont jamais disparu du front de l'ivrogne pourtant converti. [C. B.]

……

Voici une autre légende rapportée de la Côte-Nord par les Madelinots. Elle date de la fin du siècle dernier. C'est un exemple de légendes où la logique et le bon sens font nettement défaut. Il s'agit d'un avertissement sous forme d'un écrit dans le firmament, mais que les personnes à qui il s'adresse ne peuvent ni lire ni comprendre. Alors à quoi bon ? Mais la voici.

C'était à Pointe-aux-Esquimaux, aujourd'hui Havre-Saint-Pierre. Dans ce temps-là, on pouvait voir vingt-cinq à trente bateaux à voile qui y faisaient la pêche. La morue abondait. Les gens nageaient dans l'argent. On suspendait des pièces d'or

[6] L'histoire laisse plutôt entendre qu'ils reçurent l'absolution, nous assure un informateur.

dans les escaliers. Mais l'abus des boissons alcooliques accompagnait cette aisance et donnait lieu à des désordres de toutes sortes. Le curé, Mgr François-Xavier Bossé, fulminait dans ses sermons contre l'inconduite de ses paroissiens, sans obtenir de résultats. Un samedi soir, pour narguer le curé, des jeunes gens avaient roulé des barriques vides entre l'église et le presbytère, et pour obstruer le chemin du prêtre, les avaient laissées sur les lieux.

Le lendemain, le curé s'est rendu à l'église en zigzaguant entre les barriques. Il a célébré la messe, puis il a fait le sermon : « Mes chers paroissiens, leur a-t-il dit. Vous avez commis un geste cette nuit que je n'oublierai jamais. Au point où vous en êtes rendus, je dois vous dire ceci : au sortir de l'église, vous verrez dans le firmament quelque chose que vous n'avez jamais vu. Malheureusement, il n'y en a pas beaucoup parmi vous qui pourront le lire. »

Rendus dehors, les gens en effet ont aperçu un écrit dans le ciel. Les lettres semblaient avoir plusieurs pieds de longueur. Il y avait des personnes instruites dans la foule, mais personne n'a pu *défricher* le sens du texte.

À partir de ce moment, la disette fit suite à l'abondance. Les gens devaient quitter l'endroit pour aller gagner leur vie ailleurs. Vint un jour où il ne resta plus un seul bateau de pêche. [W. B.]

e) *La chasse le Vendredi saint*

En souvenir du sang versé par Notre-Seigneur le Vendredi saint, la tradition voulait que, ce jour-là, on se gardât bien de faire couler le sang d'aucune bête et, bien entendu, personne n'aurait fait boucherie. Mais il se trouvait une catégorie de gens, surtout si le gibier était abondant, pour qui la tentation était forte de passer outre à ce scrupule traditionnel. C'étaient les chasseurs. Ceux d'entre eux qui osaient le faire s'exposaient à recevoir des leçons que l'on peut considérer comme des avertissements. Voici quelques légendes du genre.

Un homme de L'Étang-du-Nord avait bien assisté à l'office religieux du Vendredi saint. Mais dans l'après-midi, distraitement, il décide d'aller à la chasse à la dune du nord. En arrivant, il aperçoit des outardes. Il se met à ramper afin de les approcher suffisamment pour en tuer une. Il était un bon chasseur et ne manquait jamais son coup. À un moment donné, il en tient une à portée de fusil. Il tire et l'outarde tombe. Vite alors, il court la ramasser. Mais arrivé au lieu où il croyait la trouver gisante, il l'aperçoit aussi loin de lui que lorsqu'il l'avait tirée. Elle ne s'agitait pas et semblait bien morte. Il court encore. Rendu là où il l'avait vue, elle était encore à égale distance de lui. Il a couru un mille ainsi, mais toujours avec le même résultat. À la fin, à bout, en sueur, il s'est arrêté pour réfléchir. Tout à coup, l'idée lui est venue : « C'est Vendredi saint ! Il nous a été dit maintes fois qu'on ne devait pas répandre de sang aujourd'hui ! Je comprends. »

Il s'en est revenu chez lui tout de suite et sans outarde. [W. B.]

……

Un autre chasseur, qui n'oubliait pas, lui, que c'était Vendredi saint, s'en fut à la chasse quand même. Arrivé sur le terrain, il s'est camouflé dans les buissons pour attendre le gibier. Quand il a voulu préparer son fusil, celui-ci s'est déchargé tout seul trois fois de suite, sans même avoir de cartouches dans la culasse. Saisi de crainte, notre chasseur s'en est revenu en vitesse à la maison et n'est jamais plus retourné à la chasse le Vendredi saint. [V. B.]

……

Un autre chasseur n'avait pas fait de prières et n'avait point assisté à l'office religieux du Vendredi saint, mais s'en était allé à la chasse. À peine arrivé sur les lieux, il aperçoit une volée d'outardes qui se posent à cinquante pieds de lui. Il lève son fusil, vise et tire. Une outarde tombe ; les autres s'envolent. Il accourt pour ramasser l'oiseau abattu mais surprise ! stupeur ! au lieu d'une outarde, c'est un gros chien noir des plus menaçants ! Notre homme n'a point moisi là ; il a détalé et s'est toujours souvenu de la leçon. [V. B.]

f) *La perte de cheveux*

Un paroissien s'était entêté contre son curé. L'histoire ne dit pas quel était le sujet de la mésentente, mais elle affirme que le paroissien avait tort et le savait. Dans son opiniâtreté, il ne voulait pas céder. Il aurait même osé dire : « Avant que je me rende, les cheveux me partiront de la tête. » Le malheureux ! Deux ou trois jours après, ses cheveux sont tous tombés. Cette épreuve l'a fait réfléchir sérieusement, et il regrettait de s'être entêté à ce point. Sa femme et des voisins lui ont conseillé d'aller trouver le prêtre et de s'excuser. Une telle humiliation le chagrinait ; mais à la fin, il s'est décidé. Il s'est rendu au presbytère, et se jetant aux genoux du curé, il lui a demandé pardon. Celui-ci lui a passé la main sur la tête et lui a dit : « C'est bien. Allez en paix ! Allez en paix. »

Il s'en est retourné chez lui heureux et les cheveux lui ont repoussé peu à peu. [L. L.]

g) *Le marchand au cœur dur*

Il y avait un marchand au cœur dur qui n'avait de pitié pour personne. Dans le même canton, un pauvre homme, chargé d'une grosse famille de huit ou neuf enfants en bas âge, avait contracté des dettes chez ce vendeur. Un jour, il tomba gravement malade et allait mourir sans avoir rien payé. Comme il n'avait presque pas de meubles dans la maison, tout ce qui pouvait tenter le marchand, c'était une vache à lait. Mais le pauvre homme avait absolument besoin de lait dans sa maladie, au moins pour prolonger ses jours.

Voyant que son débiteur allait mourir sans acquitter sa dette et sachant que les enfants ne pourraient la payer de sitôt, le commerçant a attelé son cheval et est allé saisir la vache. La famille s'est jetée à ses genoux, le suppliant de lui laisser la vache au moins jusqu'à la mort du père qui ne pouvait boire que du lait. Rien à faire. Il a attaché la vache derrière sa voiture et l'a amenée chez lui.

Mais un jour, le marchand aussi est tombé malade ; et sur son lit de moribond, il répétait aux personnes présentes : « Si vous pouviez chasser la vache que je vois dans le coin de ma chambre ! » Les gens avaient beau lui répondre : « Il n'y a pas de vache dans la maison ! » Il reprenait : « Si vous saviez ! Je vois une vache et elle me fait terriblement souffrir ! » [W. B.]

h) *La dîme dans sa calotte*

C'était dans un village de cultivateurs. À cette époque, la dîme que l'on devait au prêtre n'était pas payée en argent mais en nature, c'est-à-dire le dixième des produits de la terre. Sa valeur dépendait donc de la récolte elle-même.

Un automne, un fermier, ayant fini d'engranger son grain, s'en allait porter sa dîme au curé. Il en avait une pleine charrette chargée de légumes de toutes sortes. Il demeurait à quatre ou cinq milles du presbytère et il avait dû atteler deux gros chevaux pour tirer cette charge. En chemin, il a rencontré un inconnu qui lui a demandé :

— Vous êtes fermier ?

— Oui.

— Où allez-vous porter ce *voyage*[7] ?

— Au prêtre. C'est ma dîme.

— Eh bateau ! La récolte a été bonne !

— Oui, a répondu le fermier, ç'a bien poussé, mais pas comme si j'avais eu la température que j'aurais voulue. Des fois, c'était trop chaud, d'autres fois trop froid.

— Alors, lui dit l'étranger, l'an prochain, vous demanderez le temps que vous voudrez et vous l'aurez.

Le fermier, tout à la joie, l'a remercié vivement.

Le printemps suivant, notre cultivateur annonça à sa femme : « Il faut augmenter notre récolte. On va semer et planter davantage parce que cette année, j'aurai le temps que je voudrai. Je n'ai qu'à demander. » Une fois les semences en terre, il sortait de chez lui tous les matins et après avoir contemplé l'horizon et le firmament, il disait : « Une petite brise de vent du sud. » Le vent du sud arrivait. Vers dix heures, il sortait de nouveau et commandait : « Une bourrasque de pluie. » La pluie tombait durant une vingtaine de minutes. Ensuite, il ordonnait au soleil d'apparaître. Il en fut ainsi tout l'été. Il obtenait le temps qu'il demandait.

Tout a poussé d'une façon extraordinaire. L'avoine, le blé, le sarrasin avaient atteint une hauteur de neuf pieds. Les plants de pommes de terre mesuraient six pieds. Mais tout était en tiges, sans rien dans les épis ni rien dans la terre. À l'automne, quand il eut battu son grain et ramassé ses légumes, la récolte était si petite que le dixième tenait dans son chapeau. Tout de même, il voulait payer sa dîme. Il la mit dans son couvre-chef, et avec une voiture légère, il alla la porter au prêtre. En chemin et au même endroit, il rencontra encore l'inconnu qui lui demanda :

— Eh bien ! Qu'est-ce qui est arrivé ?

— Tout a poussé, répondit le fermier, mais en tiges seulement. Il n'y avait rien d'autre ; pas de graines, pas de légumes, rien !

— Pourtant, vous avez eu le temps que vous demandiez.

— Oui, mais voyez la dîme de ma récolte ; elle tient toute dans ma calotte !

[7] En Acadie, en plus du sens habituel, le mot *voyage* signifie aussi la charge que des bêtes de somme, ou même des hommes, peuvent tirer ou porter.

— Alors, Monsieur, à l'avenir, vous laisserez à Dieu le soin du temps et de la température et ne vous plaindrez point. [L. L.]

i) *L'homme dans la lune*

Travailler le dimanche, c'est violer un commandement de Dieu et cela ne rapporte jamais. Bien plus, cette faute attire souvent, pour ne pas dire toujours, la colère divine.

Un homme à l'esprit fort ne s'occupait point de ce précepte divin. Il charroyait du bois le dimanche comme la semaine. Mais un jour, Dieu l'a puni de façon à donner une leçon aux autres hommes. Il l'a transporté dans la lune et l'a condamné à porter son fagot de bois sur ses épaules jusqu'à la fin du monde, peut-être même pour l'éternité. Aujourd'hui, si l'on regarde la lune attentivement, on le voit encore. [Mme C. B.]

j) *La disparition du capelan*

Autrefois, le capelan était en abondance sur les côtes des îles de la Madeleine. Ce poisson servait de *bouette* pour la morue. Mais des pêcheurs ambitieux en trop grand nombre le pêchaient le dimanche afin de prendre de l'avance pour le lundi matin. Ils ont attiré la malédiction divine et le poisson a disparu des Îles à la fin du siècle dernier. [E. D.]

k) *Un travail inutile*

Un bateau des îles de la Madeleine se trouvait à Gaspé une fin de semaine. Pour que les filets fussent prêts le lendemain, un membre de l'équipage les réparait le dimanche. Mais le lundi matin, un rat avait rongé tout ce travail accompli la veille, et seulement celui-là. [Léo L.]

l) *Quinze jours sur son suaire*

Durant la meilleure saison du homard, un garde-pêche avait mis un pêcheur en prison pour quinze jours. Celui-ci aurait prédit : « Il sera sur son suaire aussi longtemps qu'il m'a gardé en prison. » Un jour, le garde mourut. Mais on dut attendre quinze jours avant de l'enterrer parce que son corps restait souple comme s'il eût été vivant, et l'on n'osait pas l'enterrer. [A. L.]

2. Les miracles légendaires

A) *Un moribond à baptiser*
Dans une paroisse des Îles, un homme se mourait depuis des mois, mais ne parvenait pas à trépasser. Par des signes, il semblait demander quelque chose. En même temps, une femme de sa parenté avait le pressentiment que ce monsieur n'avait jamais été baptisé et qu'il demandait le baptême. Le prêtre fut averti et vint lui administrer ce sacrement sous condition. Immédiatement, le malade rendit son âme dans la paix du Seigneur. [D. H.]

B) *La voix transportée au loin*
Un hiver, Antonio Arseneault revenait de Grande-Entrée avec un gros *voyage* de bois, un plein traîneau. Arrivé à Seillons, son cheval s'enfonça dans la glace et resta pris. Antonio promit une messe à saint Joseph, dont c'était la neuvaine, et cria au secours. Il était très loin des maisons. Sa voix porta jusqu'au cap Rouge, à cinq milles, et les gens accoururent à son aide. [S. D.]

C) *L'herbe à outardes supprimée*
L'évêque était en tournée pastorale dans l'archipel. Les Îles n'étaient pas encore reliées entre elles par des ponts comme aujourd'hui. Une bonne partie du transport et des voyages de l'une à l'autre s'effectuait par bateaux.

De Havre-aux-Maisons, l'évêque devait se rendre à Grande-Entrée. Ordinairement, on faisait le trajet par mer ; mais cette fois, vu le mauvais temps, on suivit la route de la baie intérieure, c'est-à-dire de la grande lagune de Grande-Entrée. Au chenal où se trouve le pont actuel, l'herbe à outardes était si dense qu'il était très difficile de passer ; et rendue là, la barque qui transportait l'évêque s'arrêta, son hélice bloquée. Le préposé au moteur était au désespoir d'être immobilisé avec un si haut personnage à son bord et se confondait en excuses. Alors, Monseigneur lui dit : « Prenez courage. Après cette année, vous serez débarrassés de cette herbe-là. »

Pendant les dix années qui suivirent, on ne vit pas un brin d'herbe à outardes en cet endroit. Elle a commencé à réapparaître dernièrement et elle demeure encore très clairsemée. [W. B.]

D) *La puissance du prêtre*

Un jeune homme se trouvait être le seul catholique sur un bateau. Tous les autres étaient de religion protestante. Un jour, il se piqua sur une main et la gangrène se mit dans la plaie. Son état s'étant aggravé, on le déposa à terre sur les côtes les plus proches où, là encore, il n'y avait que des protestants. Il fut hébergé dans une famille. Se rendant compte de sa fin prochaine, il écrivit une lettre qu'il réussit à faire parvenir au prêtre catholique le plus voisin. Quand le curé reçut cette lettre, vu qu'il avait 70 ans, il envoya son vicaire, avec son servant.

Arrivés sur les lieux, ils rencontrèrent le propriétaire de la maison où logeait le malade. C'était un vieux protestant fanatique qui leur dit de s'en retourner tout de suite, sinon ils auraient affaire à lui. Le vicaire voulut parlementer. Rien à faire. « Je ne veux pas de votre espèce dans ma maison», cria-t-il. Le vicaire revint au presbytère. En le voyant arriver, le curé lui demanda : « Vous avez fait ça bien vite ! Que s'est-il passé ?» Il apprit l'aventure. «Malheureux ! lança-t-il au vicaire. Si le malade meurt, tu es responsable de son âme ! Descends de la voiture. Je vais y aller, moi !»

Le protestant, voyant venir le curé, sortit lui barrer la route. En colère, il s'avança pour lever la main sur lui. Mais le prêtre fit un geste et le vieux *malcommode* resta figé sur place, le bras en l'air, sans pouvoir bouger. L'abbé entra alors voir le malade ; il le confessa et lui donna les derniers sacrements. Il écrivit même une lettre à sa mère pour lui ; et il ne se pressa point. Quand il sortit, le vieux se tenait encore au même endroit, planté debout, droit comme un jonc, la main levée. Alors, devenu doux comme un agneau, il dit : « Vous ne rentreriez pas prendre une tasse de café ?»

Cinq jours plus tard, le jeune homme rendit son âme à Dieu. Le protestant en informa le prêtre, qui alla chercher le corps du défunt pour l'enterrer dans le cimetière catholique. [W. B.]

E) *Les taches du* haddeck[8]

Le *haddeck* est un poisson qui se caractérise par deux taches, une de chaque côté du cou. Aux Îles, comme d'ailleurs dans toutes les Maritimes, la légende y voit le poisson qu'avait pêché

[8] L'aiglefin : c'est le *haddeck* pour tous les Acadiens. Voir Geneviève Massignon : *Les Parlers français d'Acadie*, Paris, 1962, ch. VI, n° 512, p. 306.

saint Pierre et dans la gueule duquel il avait trouvé l'argent pour l'impôt que Notre-Seigneur lui demandait de payer. Depuis ce temps-là, le *haddeck* a gardé comme marque la tache des doigts de l'apôtre. [A. L.]

3. Le Juif errant

Sur la route du Calvaire, Notre-Seigneur, exténué sous sa croix, avait sollicité d'un Juif la faveur de se reposer chez lui. Mais celui-ci lui avait répondu durement : « Passe ton chemin, scélérat ! Je ne veux pas que tu t'arrêtes chez moi. » Alors, Notre-Seigneur tout attristé lui dit : « Mon Juif, tu m'obliges à marcher ! Eh bien, tu marcheras toi-même jusqu'au dernier jugement ! » À l'instant même, une force poussa cet homme à se lever et à se mettre en route. Il ne s'est jamais arrêté depuis. Il est devenu le Juif errant.

Il a traversé tous les pays et, un jour, il y a plus d'un siècle de cela, il est arrivé en Belgique. Il avait une grande barbe qui lui traînait jusqu'aux genoux. Il est entré dans un restaurant. Même là, il continuait de marcher. Le propriétaire lui a demandé : « Monsieur, qu'est-ce qui vous presse tant ? Vous ne voulez pas vous asseoir ? » Il ignorait que c'était le Juif errant. Celui-ci lui a répondu : « Je ne suis pas capable de m'arrêter. Je suis condamné à marcher jusqu'à la fin du monde. Si vous vouliez me donner quelque chose à boire, je vous serais reconnaissant. » C'est là qu'on a vu qui il était. Alors, on lui a demandé son âge. « Je dois avoir dix-huit cents ans, a-t-il affirmé, parce que j'avais douze ans quand Notre-Seigneur est né, m'a souvent dit ma mère. »

Une trentaine d'années plus tard, il a été aux îles de la Madeleine. Deux hommes âgés revenaient de pêcher des *coques*[9]. Ils avaient du tabac mais pas de feu pour allumer leurs pipes. Ayant aperçu un homme au loin sur la dune, ils ont dit : « On va aller lui demander des allumettes. » Mais plus ils l'approchaient, plus cet homme paraissait étrange. Rendus assez près de lui pour constater qu'il avait une grande barbe, qu'il s'enfonçait dans le sable jusqu'aux genoux et qu'il n'arrêtait pas à leur appel, ils l'ont reconnu : « C'est le Juif errant. Ce n'est pas prudent de

---

[9] *Mya arenaria* : mye des sables. Mollusque bivalve enfoui dans le sable du rivage.

l'arrêter, nous n'en avons pas le droit.» Ils l'ont regardé aller jusqu'à ce qu'il disparaisse à l'horizon.

« Un de mes grands-oncles disait que peu après cette visite aux Îles, son père l'avait rencontré à Cap-Breton et qu'il portait encore sa longue barbe, affirme notre informateur. Aux dernières nouvelles, ajoute-t-il, il était encore sur la route. C'est entendu qu'il doit marcher jusqu'à la fin des temps.» [E. L.]

CHAPITRE III

LÉGENDES RELATIVES AUX DÉMONS

Dans tous les milieux chrétiens, l'un des sujets ordinairement fertiles en légendes est le démon. Les îles de la Madeleine ne font pas exception.

Ces légendes peuvent se classer en trois catégories : le démon en personne, le démon déguisé en animal ou en monstre, et les œuvres du démon.

1. Le démon en personne

A) *L'apparition de démons à une voleuse*
Une femme avait fermé sa maison pour s'en aller demeurer dans une autre paroisse des Îles. Elle y avait laissé quelques meubles, un peu de lingerie et toute sa literie. Comme elle était sorcière, elle avait confié tous ces effets aux soins du diable.

Une voisine tourmentée par la tentation du vol réussit à pénétrer dans cette maison et se mit à sortir des couvertures d'une armoire. Elle en avait pris une bonne brassée et se dirigeait vers la porte pour sortir quand, ô stupeur ! deux diables apparurent, un de chaque côté d'elle. Elle voulut fuir ; ils lui barrèrent le chemin. Ils montraient des dents épouvantables et des griffes de six pouces de longueur au moins. Elle ne savait plus que faire, toute seule dans la maison avec ces deux diables ! Elle était désespérée et se croyait perdue. Alors, se rappelant qu'elle avait des enfants décédés en bas âge, elle se recommanda à eux. Puis, s'adressant aux démons : « Laissez-moi passer » leur dit-elle. L'un d'eux répondit : « On va te laisser aller parce que tu n'es pas morte. Mais si tu étais morte, je t'aurais dans mes griffes. Je t'emmènerais en enfer avec moi. Tu apprendras

que des voleurs, j'en ai les trois quarts en enfer ; et c'est parce qu'ils ont volé qu'ils sont avec moi. » [G. L.]

B) *Le diable pêcheur*

Il y avait une fois un pêcheur dont le caractère difficile l'empêchait de trouver un compagnon pour sortir à la pêche. Il eut beau chercher, demander celui-ci, solliciter celui-là, personne ne voulait y aller. À la fin, pris de colère, il s'écria : « Quand bien même ce serait le diable, je l'engagerais ! »

Peu de temps après, un homme se présenta qui lui demanda :

— As-tu besoin de quelqu'un pour la pêche ?

— Oui, certain ; je suis tout seul !

— Eh bien ! Je m'engage ; j'irai avec toi !

— Marché conclu ! Nous pêcherons de moitié.

Mais dès le premier jour, notre homme s'aperçut que son engagé était un être louche. Il prenait du poisson en abondance, une *ramée*[1] à chaque coup de ligne ! Puis, ayant ajouté deux hameçons à chacune de ses lignes, il montait quatre morues à la fois. Le temps de le dire, le bateau était plein !

L'inquiétude commença à envahir le propriétaire du bateau. Se doutant qu'il y avait quelque chose de diabolique là-dedans, il se rendit au presbytère consulter son curé. Celui-ci lui demanda quel genre de contrat il avait passé avec cet individu. Il lui dit qu'ils étaient convenus de diviser toute leur pêche en deux, chacun la moitié. « Prends un expert pour peser votre poisson, lui a conseillé le prêtre, afin de ne prendre que ta part et rien de plus. »

Quand l'automne arriva et qu'il fallut diviser la prise, l'inconnu était là comme une bête qui guette sa proie. Un expert pesa le poisson en deux parts parfaitement égales. Alors, le pêcheur dit à son engagé : « Voici ton bien. Prends-le. Et voici le mien. » L'étrange personnage répondit en grinçant des dents : « Tu es chanceux. Si tu avais gardé une demi-livre de plus que la moitié, je t'emmenais avec moi. » Puis, tout disparut en feu, dans l'air du temps, l'inconnu et sa part de poisson. C'était le diable en personne. [L. L.]

C) *Le diable invité se présente*

Dans un village vivait une famille protestante dont l'une des filles était particulièrement belle. Elle était courtisée par un

[1] Une *ramée* : deux.

jeune homme catholique, gros cultivateur fort en moyens. Celui-ci était agréé par le père de la fille, mais la mère *ne pouvait pas le sentir* parce qu'il était catholique. Souvent, quand elle le voyait arriver, elle disait à haute voix : « J'aimerais cent fois mieux voir le diable entrer que ce jeune homme-là ! » La jeune fille qui aimait le garçon en pleurait toutes les larmes de son corps.

Un dimanche après-midi, un jeune inconnu est arrivé à la maison. C'était l'hiver et il était en carriole avec un beau cheval noir. Il a attaché la bête à une clôture et il est rentré. Il avait l'apparence d'un vrai monsieur. Pour se présenter, il a pris un nom d'emprunt. Puis, ils se sont mis à converser.

Durant ce temps, le jeune homme qui fréquentait la demoiselle est arrivé aussi. Mais avant d'entrer, il s'est aperçu que, sous le cheval et la carriole et tout à l'entour, il n'y avait plus de neige du tout. Il s'est rendu compte en même temps qu'il se dégageait une chaleur énorme de tout l'attelage… Une fois entré, il a pris à part le père de la jeune fille et l'a mis au courant de ce qu'il venait de constater. Ils ont conclu : « Ce n'est rien d'autre que le diable. La mère l'a demandé, le voilà ! »

— Pour l'amour du bon Dieu ! a dit le père, cela te gênerait-il d'aller chercher ton prêtre ?

— Pas du tout, a répondu le jeune homme. Mais ayez bien soin de ma *blonde* parce que je n'ai pas envie de la perdre.

— Va chercher ton prêtre au plus vite ! Je ferai la garde ici.

Il est arrivé au presbytère en vitesse. Après avoir écouté son histoire, le prêtre lui a dit : « C'est urgent. Allons-y. Sinon, nous risquons de perdre une âme. » Munis d'eau bénite, d'une étole et d'un rituel, ils ont filé vers la maison du protestant. En voyant arriver le prêtre, le démon s'est recroquevillé comme mistigri dans un coin. Enfilant son étole, le prêtre l'a apostrophé :

— Que viens-tu faire ici, Satan ? Je t'ordonne de partir !

— Je viens parce que j'ai été invité, a répondu le démon.

— Maintenant, a dit le prêtre, moi, je te commande de t'en aller sans faire de mal à personne et sans rien endommager dans la maison.

Le diable ne voulait pas déguerpir. Alors le curé s'est mis à lire dans son rituel et à lui jeter de l'eau bénite sur le corps. L'être infernal se tordait, grimaçait, criait. À la fin, il est parti comme un éclair, en feu. Il n'a rien touché dans la maison, mais il a emporté la moitié de l'étable.

Le père et la mère se sont jetés aux genoux du prêtre le remerciant en larmes, et lui promettant de devenir catholiques. Ils se sont convertis tous les trois, et la jeune fille a épousé le jeune homme. [J. L.]

D) *Le diable à la danse*

Nous avons recueilli deux variantes de cette légende, dont l'une n'est localisée d'aucune façon, tandis que l'autre l'est dans le temps et l'espace.

a) Il y avait une fois une fille très désobéissante. En plus, elle aimait la danse comme une folle. Chaque fois que des danses s'organisaient quelque part, elle y allait malgré la défense de ses parents. Son père et sa mère lui disaient souvent : « Un jour, il t'arrivera malheur ! » Mais elle riait de leurs remontrances.

Une belle soirée d'hiver, un grand bal avait lieu chez les voisins. La jeune fille y est allée, comme de raison, et cette fois encore contre le gré de ses parents. La maison était pleine de monde ; il y en avait même dehors. La danse était à peine commencée quand un inconnu est arrivé dans une carriole tirée par un cheval noir. Il est entré et comme il était très élégant, toutes les jeunes filles voulaient danser avec lui. Mais il s'est approché de la jeune désobéissante, et c'est elle qu'il a invitée à danser.

À ce moment, des phénomènes étranges ont commencé à se manifester. Dehors, les jeunes gens ont remarqué que là où se trouvaient le cheval noir et la carriole, toute la neige avait fondu. Ils ont voulu approcher, mais une chaleur suffocante les en repoussait. Dans la maison, un bébé au berceau poussait un cri chaque fois que l'inconnu, en dansant, passait près de lui. Une petite fille de sept ou huit ans, enfant de la maison, a appelé sa mère et lui a dit : « Aie ! le monsieur en noir, là, il n'a pas de souliers dans les pieds, mais il a des sabots de cheval ! » La femme, qui le voyait chaussé avec des souliers ordinaires, lui dit : « Tu te trompes, voyons ! » À ce moment, quelques jeunes gens sont entrés raconter au maître de la maison et à sa femme ce qu'ils avaient constaté dehors. Alors, tous ces signes — la neige fondue, le bébé qui criait dans le berceau, les sabots de cheval vus par la petite fille — ont fini par ouvrir les yeux aux responsables de la maison et du bal. La peur les a pris. Vite, ils ont envoyé chercher le curé.

Le prêtre a pris de l'eau bénite et son étole, puis est accouru en toute hâte. Quand il est arrivé, ça commençait à tourner mal. L'inconnu tenait la fille par le cou et lui entrait des griffes de six pouces dans la chair. Elle se tordait de douleur et criait à fendre l'âme. Le prêtre est allé droit à cet étranger et lui a demandé :

— Qu'es-tu venu faire ici, toi ?

— Je suis venu m'occuper de mes affaires.

— Je t'ordonne de t'en aller.

— Je m'en irai si je veux. Ce n'est pas toi qui peux m'envoyer !

Le curé s'est alors approché et lui a passé son étole au cou, puis il a commencé à l'asperger d'eau bénite. Le diable sautait, se tordait, hurlait, mais ne pouvait pas se dégager car l'étole est un objet bénit. Tout le monde criait de peur ; les femmes s'évanouissaient. C'étaient les alarmes !

Le prêtre lui a flanqué une bonne dose d'eau bénite puis il l'a lâché. Un coup de tonnerre et le diable a déguerpi, emportant le tambour de la maison avec lui ; et tout a disparu, cheval et carriole. [E. L.]

b) « Cela se passait au mois de mars 1919, à South Sydney, en Nouvelle-Écosse. Je travaillais alors à Grand Lake, entre Glace Bay et Sydney, nous dit le narrateur. Nous avions comme voisins une famille protestante très respectable, des Martin Cameron, une bonne famille comme j'en ai rarement connue. On y allait souvent pour jouer aux cartes *à la vieille fille* ou pour entendre le gramophone. Nous étions une quinzaine d'hommes qui campions tout près.

« Un soir que nous étions là, la bonne femme nous a demandé si on avait entendu parler de ce qui venait d'arriver. “C'est grave, dit-elle. Peut-être que je ferais mieux de ne pas vous l'apprendre, vu que c'est arrivé à une catholique.” On a insisté et elle a accepté de nous raconter la nouvelle. »

> Une jeune fille de la région, dit-elle, était si folle pour la danse que rien ne pouvait l'arrêter. Elle passait toutes ses nuits à l'Alexander Dance Hall, à South Sydney. Son père et sa mère avaient beau lui faire des remontrances, elle ne voulait rien entendre. Et enfin, offusquée de leurs remarques, elle leur aurait dit : « Vous ne m'arrêterez pas de danser. Quand bien même ce serait le diable, j'irais danser avec lui ! » Le soir, elle est allée à la danse comme d'habitude.

Au commencement de la soirée, il s'est présenté un jeune homme, un inconnu, le plus beau gars jamais vu là. Tout de suite, il a invité la jeune fille en question à danser. D'abord, celle-ci fut un peu surprise de voir qu'il gardait ses gants. Ensuite, à un moment donné, dans un écart, elle a perdu un de ses souliers. En se penchant pour le remettre et l'attacher, elle s'est aperçue que ce jeune homme avec qui elle dansait n'avait pas des pieds d'homme mais des sabots de bête à cornes. À cette vue, elle s'est écrasée sur le plancher et s'est évanouie. L'inconnu a disparu au même instant, laissant la salle pleine d'une senteur de soufre.

Quand la jeune fille eut repris ses sens, ils la conduisirent à l'asile. Elle était folle. Vous pouvez aller la voir; elle est à Mabou. C'est arrivé la semaine dernière. [W. B.]

E) *Le diable et saint Martin*

Une année, le diable apparut à saint Martin et lui demanda une part de ses récoltes. Saint Martin lui dit: «Choisis la part que tu veux.» Croyant jouer un bon tour au saint, le démon s'empressa de dire: «Je choisis tout ce qui se trouve sur la surface du sol.» Or, saint Martin n'avait planté que des pommes de terre. Le démon dut se contenter des tiges de cette plante, tandis que le saint ne perdit rien de sa récolte.

L'année suivante, le démon apparut de nouveau et réitéra la même demande. Saint Martin lui offrit encore de choisir. Cette fois-ci, le diable, pour ne pas se laisser prendre, se dépêcha de dire: «Je choisis tout ce qui se trouve dans le sol.» «Très bien, de répondre saint Martin, je prendrai le reste.» Mais, cette année-là, il avait semé de l'avoine. Le diable s'était donc fait jouer les deux fois et ne revint plus. [Mme M. M.]

2. Le démon déguisé en animal ou en monstre

A) *Le cheval du vieux Jacquot*

Le vieux Jacquot racontait que lorsqu'il était jeune homme, il demeurait à L'Étang-du-Nord et fréquentait une demoiselle de cette région de Fatima qu'on appelle L'Hôpital.

Un soir qu'il avait veillé tard avec sa *blonde*, il est parti à pied pour revenir chez lui. La route était longue et il était fatigué. C'était par une nuit sans lune. Il a marché une dizaine de minutes, puis il s'est dit en lui-même : « Je voudrais bien avoir un cheval ; ça serait-i' le diable ! » À l'instant même, un beau cheval noir s'est présenté sur le chemin. Il l'a attrapé sans difficulté et l'a monté. Au premier commandement, le cheval est parti comme le vent. Le trajet s'est fait comme un éclair. Jacquot sentait l'air le frapper à la figure à cent milles à l'heure ; mais, il n'entendait pas les sabots du cheval sur le chemin. Arrivé au cimetière de L'Étang-du-Nord, comme font tous les bons chrétiens, il s'est signé. Au signe de croix, le cheval a disparu et Jacquot est allé se ramasser dans la poussière du chemin. Heureusement, il ne s'est pas fait mal, et il était rendu chez lui[2]. [W. B.]

B) *Le diable sur la dune*
Un jeune homme du nom d'Henri avait été veiller dans une famille qui l'avait mal reçu. Blessé dans son orgueil, il aurait dit : « Je veux que le diable m'emporte si jamais je remets les pieds ici. » Mais il y retourna.

Peu de temps après, il s'en fut à la chasse avec un compagnon sur la dune de Pointe-aux-Loups. Il faisait un beau clair de lune, une belle soirée. Cependant, il n'y avait pas de gibier. Celui-ci ne *gabote*[3] pas quand il fait trop beau.

Vers minuit, Henri dit à son compagnon : « Moi, je m'en *vas* ! » « Va-t'en si tu veux, lui répondit son ami, moi je vais attendre quelques heures encore. »

Après avoir marché un mille sur la dune, il a commencé à entendre du bruit derrière lui. Ayant tourné la tête, il a vu venir deux bêtes à une vitesse telle que le sable poudrait comme de la neige. Elles l'ont dépassé d'une dizaine de pas, puis lui ont barré la route. Il ne pouvait plus passer et la peur a commencé à s'emparer de lui. Après quelques instants qui ont paru un siècle, les bêtes se sont éloignées. Alors, il s'est remis à marcher. Mais un demi-mille plus loin, les monstres sont revenus s'immobiliser devant lui. Il avait de plus en plus peur. Il se rappelait les paroles malheureuses qu'il avait prononcées : « Que le diable m'emporte ! » Ces créatures bizarres ont répété le même geste trois fois de suite. À la fin, le jeune homme s'est écroulé par terre. Convaincu qu'il allait mourir là, il a saisi son saint scapulaire

[2] Voir aussi *Le bâton fourchu dans les îles du grand golfe*, Éditions du Bien Public, 1957, p. 94-95.
[3] *Gaboter* pour *caboter*. Le terme veut dire ici que le gibier ne bouge guère.

d'une main et son chapelet de l'autre et il s'est mis à prier. Il se disait en lui-même : « Si mon compagnon pouvait s'en venir ! »

Celui-ci n'est arrivé que quelques heures plus tard. En approchant, il a aperçu un paquet sur la dune. Il a cru que c'était un manteau. De plus près, il a bien discerné la forme d'un homme, sans penser cependant que ce pouvait être Henri. À une dizaine de pas, il a crié : « Qui est là ? » Pas de réponse. Il a répété : « Qui est là ? Parle, ou je tire ! » Alors le jeune homme à demi mort de frayeur a réussi à dire d'une voix faible :

— Ne tire pas. C'est moi, Henri !

— Pour l'amour de Dieu, qu'est-ce que tu fais ici ? Qu'as-tu ? Parle. Comment as-tu pu tomber ? C'est seulement du sable !

— Je ne suis pas tombé. C'est bien pire que ça ; j'ai vu le diable !

— Allons donc ! Tu te fais des idées !

— Non ! Non ! Si c'étaient seulement des idées, je ne serais pas à bas comme ça et sans forces. Tout seul, je serais resté ici et je serais mort !

Son compagnon l'a relevé et l'a traîné sur ses épaules jusqu'aux maisons. [G. L.]

C) *Le chat du ministre*

Dans un gros village vivait une population mixte, mi-protestante, mi-catholique. Le prêtre catholique et le ministre protestant étaient de bons amis. Ils se rencontraient souvent mais ne s'étaient jamais invités à manger ni chez l'un ni chez l'autre. Une bonne fois, le prêtre fut convié à dîner chez le ministre et il accepta volontiers. Le jour convenu, il arrive chez son hôte sur l'heure du midi.

Ils se sont mis à table et sans se presser ont commencé à manger. Tout à coup, le ministre a fait cette réflexion :

— Monsieur le curé, quelque chose se passe dans ma maison aujourd'hui que je n'ai pas vu depuis dix ans !

— Qu'est-ce donc ?

— Voyez-vous le chat qui est sous la chaise dans le coin ? Je ne peux jamais prendre un repas à ma table sans qu'il saute sur mes genoux. Il faut toujours que je lui donne la première bouchée. Là, on dirait qu'il a peur ou qu'il est en colère !

— Il n'a probablement pas faim ! a répondu le prêtre.

Mais en réalité, il remarquait un air étrange au chat, un aspect diabolique.

Ils ont dîné puis conversé amicalement. Mais l'affaire du chat inquiétait le prêtre. Revenu chez lui, il en a parlé à son servant. Celui-ci qui avait la langue bien pendue s'est empressé d'en parler à tout venant, assurant que le chat du ministre était le diable en personne.

La nouvelle est parvenue aux oreilles du ministre. Il a fait une colère terrible. Il a demandé au prêtre de venir le voir, qu'il avait absolument besoin de lui. Celui-ci y est allé. Le ministre l'a reçu tout seul dans son bureau et, blême de rage, lui a crié : « Si tu ne prouves pas tout de suite ce que tu as répandu parmi le monde, je te flambe la cervelle ! » Il avait un revolver chargé sur son pupitre. « Bon, si tu es si fort, lui a répondu le prêtre, mets ta main sur ton revolver ! » Le ministre a essayé mais en vain. Son bras était paralysé. Alors le curé a appelé son servant qui attendait dehors et lui a dit : « Va au presbytère chercher mon surplis, mon étole, mon rituel et de l'eau bénite. Va vite ! »

Au retour du servant, le prêtre a endossé le surplis et mis son étole, puis il s'est mis à prier. Une dizaine de minutes plus tard, il a demandé au ministre : « Entends-tu venir quelque chose ? » Ce dernier a répondu qu'il n'entendait absolument rien. Le prêtre a continué à prier. Au bout de trois minutes, on a frappé à la porte. Le prêtre a dit au ministre : « Va lui ouvrir, à ton chat ! » Mais le ministre était pâle comme un mort ; il tremblait de tout son corps et ne pouvait bouger. Il a dit : « Non ! Je n'y vais pas tout seul. Venez avec moi ! » « Allons-y ! » a repris le prêtre. Ils ont ouvert la porte et le chat est entré. L'abbé lui a demandé :

— Où étais-tu la première fois que je t'ai appelé ?

— Au troisième degré de l'enfer, a répondu le chat.

— Tu sais que je t'ai demandé par trois fois. La deuxième fois, où étais-tu ?

— Je demandais la permission pour venir.

— Puis la troisième fois ?

— Je frappais ici à la porte de mon fils.

Se tournant vers le ministre, le curé lui a dit : « Voilà ton chat qui s'éloignait de moi. Renvoie-le maintenant. Moi, j'ai fait ma part. »

Le ministre s'est jeté à ses genoux, le suppliant : « Débarrassez-nous de cet animal, pour l'amour de Dieu ! Je vous promets de me faire catholique avec toute ma famille et une bonne partie de ma paroisse ! » Alors le prêtre s'est remis en prière puis il a aspergé le chat d'eau bénite et lui a commandé de s'en aller. [W. B.]

D) *Un cheval noir*
À Grande-Entrée, il y a bien longtemps de cela, on a vu un cheval noir, d'une taille énorme, monté d'un homme également noir. Le cheval avait trois sabots ordinaires, mais le quatrième présentait la forme d'un fer à repasser. Et cette monture, vue une seule fois, courait comme le vent. [E. F.]

3. Les œuvres du démon

A) *Du bois donné au diable*
Le curé de La Vernière voulait bâtir une église neuve et l'évêque avait déjà béni l'emplacement. Mais les moyens financiers faisaient défaut et la construction n'avait pu débuter encore.

Au cours d'un automne, un brick, chargé de pièces de bois de douze, quatorze et même seize pouces carrés et de vingt à trente pieds de longueur, s'échouait à la dune du nord. Le navire s'est défait et tous ces madriers sont venus à la côte. Le capitaine, découragé et en colère, aurait tout voué au diable, bois et navire. Les Madelinots ont consciencieusement recueilli le bois, puis l'ont mis en piles sur la grève. Aussi, quand le représentant de la compagnie d'assurances est venu aux Îles, les a-t-il payés pour leur travail. Durant l'hiver, cet agent a fait transporter le bois de la dune du nord à la Pointe, à Havre-aux-Maisons. Et le printemps suivant, un autre bateau, l'*Aberdeen*, vint prendre la cargaison. Mais à peine chargé et sur le point de partir, lui aussi subit une terrible tempête qui le jeta sur les récifs, l'éventra et ramena le bois à la côte.

La compagnie d'assurances s'est alors découragée et elle a cherché à le vendre à bas prix. Le curé de La Vernière l'a acheté pour la construction de sa nouvelle église. L'hiver suivant, tout ce bois-là fut traîné à cheval de la Pointe de Havre-aux-Maisons à La Vernière. Durant l'été, le curé prévoyant avait fait creuser des caves pour y permettre de scier à la scie de long. Un plancher permettait d'y rouler les madriers. Puis avec un homme à un bout de la scie dans la cave et un autre à l'autre bout sur le plancher, on débitait tous ces madriers en bois de charpente. Les hommes ont scié durant tout le carême.

Vers le mois de juin, on a commencé à ériger la charpente de l'église. Mais quand elle fut toute montée et prête à recevoir la planche, une autre tempête s'abattit sur les Îles, accompagnée d'un vent furieux. L'église s'est écrasée. Les ouvriers ont dû tout défaire et recommencer de nouveau, mais, cette fois, après avoir fait bénir le bois maudit, qui avait donné tant de fil à retordre. Par la suite, le travail put s'effectuer et s'achever sans encombre[4]. [L. L.]

B) *Un cheval arrêté mystérieusement*

Une femme se mourait. C'était la nuit, mais on ne pouvait pas attendre au lendemain pour aller chercher le prêtre. Un voisin a attelé puis est parti pour se rendre au presbytère. Arrivé dans un bois, à mi-chemin, le cheval s'est arrêté net et ne voulait plus avancer. Les commandements, le fouet, rien ne pouvait le faire marcher. Il avait les oreilles à pic, regardait de tous côtés, renâclait, tremblait, mais n'avançait pas. L'homme s'est dit : « C'est un tour du diable qui ne veut pas que la femme reçoive le prêtre. » Alors, il s'est souvenu d'un moyen dont il avait entendu parler pour des cas similaires. Il a fait un grand signe de croix sur le cheval avec sa main. La bête rétive s'est tout de suite mise en marche.

Rendu au presbytère, il a raconté son aventure au curé, ajoutant : « Si le même phénomène se produit tout à l'heure, la femme sera morte quand nous arriverons à la maison. » Le prêtre lui dit : « Ne craignez rien ; le cheval passera bien ! » En effet, le retour s'effectua sans incident. [L. L.]

C) *Les maisons hantées*

On rencontre dans le répertoire folklorique des Îles quelques cas de maisons hantées ; mais ils ne sont pas nombreux ni guère sensationnels. D'après la tradition, seul le démon pouvait être à l'origine des phénomènes étranges qui se manifestaient dans ces demeures.

a) Des chicanes accompagnées de blasphèmes régnaient en permanence dans un ménage désuni. Ces époux querelleurs en vinrent à un tel point d'aversion mutuelle qu'ils durent se séparer. Chacun s'en alla de son côté, chez des parents ou des amis. La maison fut fermée. Mais le démon qui avait élu domicile dans cette demeure n'en sortit pas avec les propriétaires, et c'est alors que des faits insolites commencèrent à se produire ; bruits de

[4] Cette légende est déjà racontée par le frère Marie-Victorin, e.c. dans son livre *Chez les Madelinots*, Montréal, 1921, p. 63-64.

chaînes qu'on secoue ou qu'on traîne sur le plancher, cris plaintifs, airs de violon, sifflements stridents, hurlements de fauves ; et la nuit, on apercevait des fantômes aux fenêtres. Un homme plus hardi que les autres voulut un soir se rendre compte par lui-même de la réalité de ces manifestations diaboliques. Il se fit une croix sur le front et se rendit jusqu'aux fenêtres de cette maison hantée. Un silence de mort semblait planer sur les lieux ; aucun spectre hideux ne se montra cependant, mais au plafond de la cuisine, semblant flotter dans l'air, deux lumières clignotaient. Notre homme sentit sa bravoure s'évanouir et il déguerpit en vitesse. [Mme M. M.]

b) Une autre maison, abandonnée elle aussi, était le théâtre de phénomènes similaires, mais, en outre, des objets comme les chaises, les lits, les meubles, la vaisselle se promenaient et se livraient à des danses endiablées. [L. L.]

Abandonnées par leurs propriétaires, ces deux maisons n'ont jamais été habitées par la suite. Personne n'aurait osé y vivre. Elles ont pourri sur place.

c) Des Madelinots, qui vécurent à Clarke City au siècle dernier, furent témoins en ce lieu d'un autre cas de maison hantée. À leur retour aux Îles, ils firent le récit suivant qui, depuis lors, se transmet avec les légendes des Îles.

Un père de famille était un catholique non pratiquant. Il buvait, sacrait et même travaillait le dimanche. Peu à peu, la maison où il demeurait avec les siens devint hantée. On y voyait toutes sortes de spectres, et toutes sortes de bruits s'y faisaient entendre ; un vacarme du diable ! La famille dut laisser la maison. Après quatorze années de vie païenne, cet homme se convertit. Immédiatement, tout ce désordre diabolique cessa. [E. C.]

d) Eusarique Deraspe, auteur de beaucoup de légendes qu'il inventait pour ébahir les naïfs, racontait le fait suivant qui, disait-il, lui était arrivé.

Un soir, il fut surpris par une tempête sur les dunes. Inutile de penser à s'en retourner chez lui. Il avait donc gagné la première maison et y avait couché. Mais les résidences de l'époque n'avaient rien du luxe de celles d'aujourd'hui ; aussi, il avait passé la nuit dans une couchette sur le plancher. Vers deux heures, tout le monde dormait excepté lui quand, tout à coup, le tapage commença dans la cabane. La table se mit à se promener d'un coin à l'autre. Quand elle arrêtait, les chaises reprenaient le même jeu. Puis tout s'immobilisait, et alors il entendait danser, mais sans accompagnement de musique ni de chant. Ensuite, tous les meubles se mettaient en mouvement en même temps et, ensemble, ils exécutaient une danse vertigineuse. Tout ce vacarme dura jusqu'à quatre heures du matin. [Mme M. M.]

D) *Le Corps-Mort*

Le Corps-Mort est une île déserte des îles de la Madeleine.

Dieu avait créé la terre. Le démon orgueilleux et jaloux voulut en faire autant. Mais il ne réussit qu'à produire ce rocher sur lequel ne pousse aucune végétation, qui est désert et, le plus souvent, entouré de brumes ; il ressemble à un mort sur son suaire et constitue une menace constante pour les navires qui osent en approcher. [A. L.]

E) *L'origine des chats*

D'un souffle, le bon Dieu avait créé le monde. Le démon, jaloux, voulut créer une bête qui mangerait le monde. Il fit un animal à longue queue, avec quatre pattes et des griffes. Mais il ne réussit pas à lui donner la vie. Alors, Dieu lui-même souffla sur cette bête et l'anima en disant : « Va, chat, et sois utile aux hommes. »

Le chat a conservé de son origine diabolique cette propriété de faire des étincelles quand on lui frotte le dos à rebrousse-poil. [Mme M. M.]

Chapitre IV

Légendes relatives aux êtres doués de pouvoirs préternaturels

1. La chasse-galerie

Les Jersiais étaient des trafiquants de poissons et des marchands qui, venus de l'île de Jersey dans la Manche, avaient établi des comptoirs aux points stratégiques du golfe Saint-Laurent. Tout leur personnel venait aussi de la même île. En plus d'exploiter les pêcheurs, ils abusaient souvent de leur crédulité. Ils leur faisaient croire qu'ils étaient sorciers, qu'ils avaient des pactes avec le démon et, enfin, qu'ils pratiquaient la chasse-galerie.

La compagnie jersiaise la plus répandue dans le golfe fut celle des Robin. Elle ne s'installa jamais aux Îles cependant. Mais les Madelinots naviguaient et, de leurs voyages, ils ont rapporté des cas de chasse-galerie sur le compte de ces étrangers.

A) D'abord, aux Îles mêmes, les vieillards d'aujourd'hui affirment que leurs pères ou leurs grands-pères entendaient souvent passer la chasse-galerie dans *l'air du temps*. Ils ne voyaient rien, mais le tintamarre qui traversait le ciel, les bruits de chaînes et de roulements de voitures, les aboiements de chiens, les sons de grelots et de cloches, les chansons et les cris joyeux étaient caractéristiques de ces randonnées aventureuses.

B) Les Jersiais établis sur la Côte-Nord venaient chaque été chercher des Madelinots pour la pêche. Plusieurs jeunes gens acceptaient l'offre et s'éloignaient ainsi des Îles pour une partie de l'été. Ils laissaient leurs *blondes* derrière eux et, naturellement, s'ennuyaient beaucoup durant leur longue absence. Ils auraient bien souhaité pouvoir retourner une fois de temps en temps veiller avec elles ; mais à cette époque où les communications aériennes n'existaient pas encore, leur rêve était irréalisable. Alors les Jersiais leur faisaient des propositions :

— Voulez-vous aller voir vos filles ce soir ?

— Comment aller voir nos filles ? Un pareil bout !

— Nous autres, nous allons veiller avec les nôtres à Jersey. C'est bien plus loin !

Avec un grand sérieux, ils prenaient une cuve qu'ils remplissaient d'eau, puis ils disaient : « Vous n'avez qu'à sauter la *baille* et de l'autre bord de celle-ci, vous serez aux îles de la Madeleine. Mais soyez bien avertis : Il ne faut pas penser à Dieu et encore moins prononcer son nom car, alors, vous tomberiez dans l'océan et vous vous noieriez. Le même sort vous attendrait si vous manquiez votre coup et que vous tombiez dans la cuve.» [Mme M. M.]

C) D'autres fois, les Jersiais leur proposaient d'accomplir ces voyages en canots, par les airs. Grâce à des paroles magiques qu'ils leur communiqueraient, ils s'enlèveraient et fileraient à cent lieues par coups de rame. Ici encore, il fallait bien se garder de penser à Dieu ou de prononcer son nom et même, de passer au-dessus des clochers d'églises.

Les Jersiais offraient encore de les emmener de cette façon veiller avec eux dans l'île de Jersey. Il va sans dire que les pauvres pêcheurs acadiens du golfe n'auraient jamais osé faire un pareil essai et tous refusaient. [Mme M. M.]

D) Une fois, cependant, un jeune homme qui avait remarqué l'absence des Jersiais toutes les fins de semaine, et qui les avait entendus se vanter d'aller à l'île de Jersey par les airs, se cacha dans leur canot pour voir ce qui arriverait. À la tombée de la nuit, les Jersiais sont arrivés et se sont mis à prononcer des mots cabalistiques. L'embarcation dans laquelle ils étaient montés s'est mise en branle. Elle s'est enlevée et plus rapide que le vent, juste le temps de le dire, elle était rendue à l'île de Jersey. Le jeune homme a laissé les Jersiais descendre et quand il a vu qu'ils étaient assez loin, il est sorti de sa cachette. Il s'est promené un peu, mais il avait peur de rencontrer quelques-uns de ses compagnons de voyage. Il a recueilli une plante qui ne pousse que sur cette île et qu'il a mise dans sa poche ; puis il est retourné se cacher dans le canot, car il ne voulait pas être laissé sur cette terre étrangère. Vers la fin de la veillée, les Jersiais sont revenus et ont retraversé l'océan de la même manière. Le lendemain, ce jeune gars montrait à ses amis la plante qu'il avait cueillie comme preuve de son voyage.

D'ailleurs, le lundi, les Jersiais eux-mêmes faisaient goûter aux pêcheurs du pain qu'ils prétendaient avoir apporté de l'île de Jersey dans un voyage similaire fait la veille. [J. D.]

……

Remarquons que ces récits de chasse-galerie proviennent de la rive nord du fleuve Saint-Laurent. Selon la tradition, les Jersiais se livraient aux mêmes pratiques à Chéticamp et à l'île d'Anticosti. Par ailleurs, nous n'avons trouvé qu'un seul cas de chasse-galerie dans l'archipel même. Le voici.

E) Un étranger, c'est-à-dire quelqu'un qui n'était pas natif des Îles, tenait un magasin à Havre-Aubert. Dans la cave de sa boutique, il avait aménagé une salle mystérieuse dont toutes les fenêtres demeuraient toujours bouchées. Certains soirs, surtout sur la fin de la semaine, il y recevait des amis qui arrivaient de l'étranger en chasse-galerie. Il y avait un souper suivi de danses ; puis ensuite, d'après les bruits qu'on y entendait, ces gens devaient se livrer à de vraies saturnales. [L. B.]

2. Les sorciers

Aux Îles comme ailleurs, la sorcellerie est l'un des thèmes les plus féconds en légendes. Peut-être reste-t-il encore ici et là quelques personnes qui, sans l'admettre ouvertement, conservent une certaine crainte superstitieuse des sorciers. Ainsi, une infirmière demandait dernièrement à une dame pourquoi elle avait acheté des images pieuses de mauvais goût. Et celle-ci de répondre : « Pour que le vendeur ne me jette plus de sorts ! » Des gens crédules peuvent se rencontrer partout, même dans les villes. Mais, en général, les Madelinots d'aujourd'hui ne croient plus aux jeteurs de sorts. De bons conteurs cependant se plaisent à raconter les histoires des vieux et, parmi elles, celles des sorciers.

Ceux-ci se manifestaient de deux façons. Ils jetaient des sorts ou ils se transformaient en bêtes pour effrayer les gens.

A) *Les jeteurs de sorts*

Les sorciers étaient des gens qui, selon la légende, pactisaient avec le diable. De ce fait, leurs gestes ne comportaient rien de chrétien ; au contraire, leur vengeance était prompte et, pour des riens, ils jetaient des sorts qui causaient souvent des torts graves à leurs victimes.

Les gens qui avaient cette réputation étaient le plus souvent pauvres comme des rats et ne subsistaient qu'en allant mendier de porte en porte. Eux-mêmes entretenaient volontiers cette renommée douteuse de sorciers qu'on leur attribuait. De cette façon, mû par la peur, personne n'osait leur refuser quoi que ce soit. Mais parfois, comme dans le cas suivant, il ne s'agissait pas de *quêteux*.

C'était au printemps de l'année 1900. Les Madelinots chassaient le loup-marin au nord des Îles. Cinq ou six hommes d'équipage par canot composaient une escouade.

Un Irlandais faisait ainsi partie d'un groupe. Mais un matin qu'il s'était probablement levé trop tard, il arrive à la côte et trouve ses compagnons déjà partis. Le vent était du nord et les loups-marins paraissaient en abondance à trois ou quatre milles du rivage. L'Irlandais fait une colère noire ; il se met à sacrer et à *abîmer* son escouade de malédictions. « Ils ne ramèneront pas leur canot à la côte ! » répétait-il. Une autre équipe dit à l'Irlandais : « Arrête de sacrer et viens avec nous. Tu vas sauver ta journée quand même ! » Celui-ci accepte. Arrivés aux loups-marins, ils hissent leur canot sur la glace, le laissent à la garde de l'un des leurs, et filent au carnage. Au cours de leur marche, ils passent à côté du canot de la propre équipe de l'Irlandais. Celui-ci recommence à sacrer : « Vous voyez le canot ? Il ne reviendra pas à terre ! » Son ami lui répète : « Arrête tes infamies et viens-t'en avec nous ! » Ils avaient à peine avancé de deux cents pieds quand il s'est produit un tel remue-ménage dans les glaces que le canot a disparu, et l'homme qui le gardait n'a même pas pu sauver une rame. Il a failli être englouti lui-même.

Le chef du groupe a alors demandé à ce sorcier :

— Comment peux-tu accomplir des choses pareilles ? Quel est ton secret ?

— Écoute, a répondu ce dernier. Je vais te le dire. Pour commencer, il faut prendre un chat noir, tout noir, sans un poil blanc. On le met vivant dans un chaudron sur le poêle ou dans un fourneau bien rouge. Il faut que l'animal soit bouilli ou brûlé au point qu'il ne reste que les os, que tu ramasses et que tu vas déposer dans un ruisseau. Un de ces os remonte le courant. Recueille-le. Avec cet os-là, tu pourras obtenir ce que tu voudras.

— C'est du *sorcellage* et c'est mal, s'est écrié son ami. Jamais je ferais une chose pareille ! [W. B.]

......

Les Acadiens des îles de la Madeleine sont les descendants des déportés de 1755 ou de 1758. Si dans d'autres milieux acadiens on avait gardé au fond du cœur une certaine crainte des Anglais, ici on a oublié ces derniers, et c'est des Américains qu'on avait peur. Pendant longtemps, ceux-ci vinrent pêcher dans les parages des Îles, où il leur arrivait de descendre à terre quand les Madelinots étaient sur la mer et que les femmes étaient seules aux maisons avec leurs enfants. À cette époque, aux Îles, l'ordre et la paix étaient confiés à la seule garde des dix commandements de Dieu. Cela suffisait amplement aux Madelinots, mais non pas aux Américains. Ces derniers abusaient de la situation et se laissaient aller à des excès qui portèrent les gens des Îles à les regarder comme un symbole de danger. Quand ils descendaient à terre, les femmes se barricadaient dans leurs maisons. On leur attribuait toutes sortes d'intentions, toutes sortes de méfaits et même la sorcellerie.

Un jour, les Américains étaient descendus à Havre-aux-Maisons. L'un d'eux fréquentait une maison où vivait l'une des plus belles filles de la région. C'était le temps des framboises et il a invité la jeune fille à y aller avec lui. Mais la mère s'y est opposée carrément ; ce qui n'eut point l'heur de plaire à l'Américain. Il est sorti en claquant la porte et en disant : « Vous vous souviendrez de moi ! » Peu après, la jeune fille est devenue folle et laide. Elle l'est demeurée toute sa vie, bien qu'elle soit morte à un âge fort avancé. [Mme A. L.]

D'autres variantes de cette légende veulent que l'Américain ait plutôt invité la jeune fille à une soirée de danse. [C. A.]

......

Gabriel était un Madelinot plein de santé et intelligent. Un soir où il y avait danse aux Îles, plusieurs bateaux étaient au port et les équipages débarqués. Quelques Américains s'empressèrent de se rendre au bal. Gabriel s'y trouvait avec sa *blonde*. Pendant la soirée, tandis qu'il dansait avec elle, un de ces étrangers voulut lui ravir son amie. Gabriel s'y opposa et envoya promener l'intrus. Mais celui-ci lui jeta un sort. À partir de cette date, Gabriel devint épileptique et aliéné. Il le resta toute sa vie. [Mme S. N.]

……

Un vieux « Français de France» vivant aux îles de la Madeleine était un jeteur de sorts. « Tout ce qu'il souhaitait s'accomplissait», affirme notre informateur.

Un groupe de jeunes filles étaient allées au *grainage*, aux *pommes de pré*[1]. Au retour, elles ont rencontré ce vieux Français. À quelque cent pas de lui, l'une d'elles osa dire : « Regardez le plus beau des sots qui s'en vient ! » Celui-ci était trop éloigné d'elles pour pouvoir entendre ces paroles, mais comme il était sorcier, il les a comprises quand même. Arrivé près des jeunes filles, il a apostrophé celle qui avait parlé : « C'est toi qui as dit que j'étais le plus beau des sots ? Avant longtemps, tu seras dans l'impossibilité d'en dire autant ! » Tout le groupe a ri de lui. Mais quelques jours plus tard, cette jeune fille tomba malade et folle. Elle fut alitée pendant quatre années et, à la fin, il ne lui restait plus que la peau et les os.

On attendait sa mort d'un moment à l'autre quand, un jour, un vieux Madelinot qui passait par là leur dit : « Je crois savoir ce qu'elle a. Je soupçonne fort qu'on lui a jeté un sort. Vous ne vous rappelez pas que quelqu'un lui aurait souhaité du mal ? » On s'est souvenu tout de suite de cette scène avec le vieux Français. « C'est justement ça ! Alors, je vais vous donner une méthode, moi, qui vous débarrassera de ce sort-là : Dessinez le portrait d'un homme sur un carton. Chargez un fusil ; puis, que la malade le prenne et tire dans les jambes du bonhomme ainsi *dépeint*. Faites attention qu'elle vise les jambes, parce qu'elle pourrait tuer le Français si elle tirait dans la tête ou dans le corps. S'il le faut, aidez-la. Vous ferez la croix sur le plomb avant de le mettre dans le fusil. Vous allez voir venir le coupable ! »

Ils ont fait tel que le vieillard leur avait dit. La fille était couchée et bien malade. Il a fallu l'aider. Au coup de fusil, le vieux Français est apparu dans la cuisine et a demandé : « Où est la malade ? » Il est allé la trouver. Il a prononcé des paroles incompréhensibles, puis il est sorti. Tout de suite, la jeune fille

[1] *Pommes de pré* : canneberges.

est redevenue saine d'esprit et elle a dit à sa mère : « Je me sens bien. Je suis guérie. » Elle s'est levée et elle ne s'est jamais ressentie de cette maladie par la suite. [G. L.]

……

Une femme vivait avec son mari dans une cabane bâtie pièce sur pièce. Elle était toujours chez le voisin pour quêter du lard.

Ce dernier était un homme très charitable, mais il n'était pas toujours à la maison, et sa femme, un bon jour, excédée par l'effronterie de cette quêteuse, s'impatienta et lui dit de s'en aller et de ne plus revenir. Quand son vieux est arrivé le soir, elle lui a raconté l'histoire. « Ah ! lui dit-il, tu as mal fait ! C'est certain qu'il va nous arriver malheur ! » La vieille regrettait bien d'avoir agi ainsi, mais il était trop tard.

Ils possédaient deux gros cochons, l'un d'un an et l'autre de deux ans. Le lendemain matin, notre homme s'en fut à l'étable pour leur donner à manger. Ils étaient étendus par terre, incapables de se lever et prêts à mourir. Il est revenu à la maison et il a dit à son épouse : « Tu aurais mieux fait de donner du lard à la quêteuse ! Nos cochons sont perdus. »

Dans la journée, un de leurs amis est arrivé chez eux. Mis au courant des faits, il leur a dit : « Je crois que je peux vous tirer d'embarras et sauver vos cochons. »

— Si tu connais quelque magie, lui a répondu le propriétaire, tu vas t'y mettre tout de suite !

Ils ont traîné les deux porcs dehors et ils ont fait autour d'eux un cercle avec de la paille d'une épaisseur d'à peu près six pouces. Puis, le visiteur y a mis le feu *au rebours du soleil*. La paille était sèche et brûlait bien. Les deux bêtes se trouvaient au milieu, assez éloignées du feu pour ne pas être brûlées. Quand il n'est resté qu'une brassée de paille à consumer, les deux cochons se sont levés et ont sauté par-dessus le feu, agiles comme deux renards.

Les deux hommes ont couru tout de suite chez la voisine, jeteuse de sorts. Elle était au lit, avec les deux jambes brûlées. Ils lui ont demandé : « Qu'est-ce qui vous est arrivé ? » Elle a répondu : « Je me suis brûlé les deux jambes avec de l'eau bouillante du coquemar. » Mais c'était un mensonge, car c'est le feu de paille qui l'avait brûlée. [L. L.]

……

Un jeune homme des Îles qui était agent pour une compagnie de *caborois*[2] devait se marier à l'automne. Malheureusement, il s'est noyé au mois d'août. Par la suite, son père a reçu des comptes que devait payer son fils. Mais à sa mort, celui-ci n'avait pas laissé d'argent, ni à la maison ni sur lui.

Le père a donc pensé que son garçon avait confié son argent à sa fiancée, vu qu'ils devaient se marier à l'automne. Il en a parlé à la fille. Celle-ci lui a affirmé qu'elle n'avait rien reçu. Alors, il a pris un shérif et s'est rendu chez elle effectuer des fouilles pour trouver l'argent. La fille lui a répété : « Votre fils ne m'a pas laissé d'argent. Vous pouvez fouiller partout, même dans ma valise qui est là. Je n'ai que cinq dollars et c'est à moi. » Ils n'ont rien trouvé.

Le père n'était pas satisfait et il s'est rendu dans l'île du Prince-Édouard consulter un sorcier. Celui-ci a assuré que la fille avait reçu l'argent et le cachait dans une autre valise que celle qu'elle leur avait montrée. Revenu aux Îles, il est retourné chez elle avec le shérif pour procéder à d'autres fouilles. Mais cette fois, la fille les a mis dehors, en leur disant : « Je vous ai laissés fouiller une fois. Je n'ai pas d'argent et ne revenez plus m'embarrasser. » Le père est retourné dans l'île du Prince-Édouard revoir le sorcier. Celui-ci lui a dit : « Je vais la rendre folle. Après ça, vous pourrez la faire parler et si elle détient l'argent, elle l'avouera, c'est certain ! » La jeune fille est devenue folle tout de suite. Elle pouvait travailler cependant, et sa famille l'amenait aux champs bêcher les pommes de terre, ramasser le foin et faire différents travaux.

Une bonne fois, un de ses frères n'a-t-il pas appris que le père du noyé était allé consulter un sorcier de l'Île-du-Prince-Édouard ! Il s'est douté de quelque chose. Il s'est mis en devoir de délivrer sa sœur du sort qu'on lui avait jeté. Mais il ne savait pas si le sorcier en question était un homme ou une femme. Il a donc dessiné le portrait d'un homme sur un carton et celui d'une femme sur un autre. Il a pris son fusil et une balle, et est allé trouver sa sœur qui travaillait aux champs avec un homme à gages. Pour être certain d'attraper le sorcier, qu'il fût un homme ou une femme, il a placé les deux cartons l'un derrière l'autre afin de frapper les deux portraits dans les jambes d'un seul coup. Il a demandé à sa sœur de faire avec ses dents une croix sur la balle qu'il a mise dans le fusil. Il avait manigancé

[2] *Caborois* : voitures légères pour cheval.

son plan d'action en cachette, et ils étaient seuls tous les trois. Il a tiré. Au coup, la fille a reçu dans le visage une taloche qui l'a renversée dans les sillons. Croyant que l'employé l'avait frappée, elle s'est lancée sur lui pour l'assommer avec sa *tranche*[3]. Mais lui de se défendre : « Ce n'est pas moi ! Je ne t'ai pas touchée ! » La jeune fille était redevenue saine d'esprit et délivrée de son sort.

Peu de temps après, des gens qui revenaient de l'Île-du-Prince-Édouard ont rapporté la nouvelle que le sorcier avait reçu mystérieusement une balle dans les jambes. [J. L.]

……

C'était une vieille sorcière qui jetait des sorts. Elle quêtait de maison en maison avec une arrogance propre aux gens de son espèce. Un jour, elle entra pour la deuxième fois demander du beurre chez la même famille. La femme ne voulut pas lui en donner et la jeta dehors. La vieille lui dit : « Vous vous souviendrez de moi ! »

Dès le lendemain, voilà leur vache malade. Ils eurent beau lui donner des remèdes, elle déclinait toujours. Elle ne pouvait plus se lever et allait mourir. Alors, ils eurent recours à la magie. Dans un grand chaudron, ils placèrent, la pointe en l'air, des petits bâtonnets pointus comme des aiguilles. Ayant rempli le chaudron d'eau, ils le mirent sur le poêle à chauffer. Il est notoire, en pareil cas, que lorsque l'eau se met à bouillir, un sorcier, même s'il se trouve à une bonne distance, est contraint de venir. S'il ne venait pas, il mourrait.

Ils savaient que la vieille viendrait. Aussi, est-elle arrivée aussitôt l'eau devenue chaude. Elle avait de la difficulté à se tenir debout. En la voyant dans cet état, ils ont vite retiré les bâtonnets de l'eau, tout en lui disant : « Il faut que tu enlèves le sort que tu as jeté sur notre vache. » Alors, elle a fait quelques gestes magiques avec ses mains, prononcé quelques mots mystérieux et elle est sortie. Tout de suite, l'état de la vache s'est amélioré. Au bout de trois jours, elle était complètement guérie. [L. L.]

……

Une autre sorcière semait la terreur autour d'elle. Tous les trois ou quatre jours, elle allait chez un voisin, qui possédait deux vaches, pour quêter du lait ou du beurre, et parfois de la viande.

---

[3] *Tranche* : genre de bêche.

Mû par la crainte, on n'osait rien lui refuser. Mais à la fin, le voisin en avait assez d'être importuné par cette quêteuse, et alors qu'elle lui demandait du lait pour la troisième fois dans la même semaine, il lui dit: « Non ! Va-t'en ! Il y a assez longtemps qu'on t'en donne. Je ne veux plus te voir ici. » Oui ! Mais peu de temps après, il a trouvé du sang dans le lait de ses deux vaches. Le lait n'était plus bon à boire. Et le propriétaire tout découragé de dire : « J'aurais mieux fait de donner tout le lait de mes vaches à cette sorcière-là ! »

Un jour, il raconta son épreuve à l'un de ses amis. Celui-ci lui dit : « Je vais les délivrer, moi, tes vaches ! » Voici comment il s'y prit.

Il a fait placer les deux bêtes dans un cercle qu'il a tracé avec une canne sur la pelouse. Puis, il a *tiré*[4] les vaches en jetant le lait par terre. Ensuite, il a enlevé quelques morceaux de pelouse imbibée de lait qu'il a apportés à la maison pour les mettre à bouillir dans un grand chaudron sur le poêle. Il a planté des aiguilles dans la pelouse et il a attisé le feu. De temps en temps, il jetait un coup d'œil par la fenêtre et disait : « Il va arriver quelque chose ! » Ah ! Tout à coup, ils ont aperçu la jeteuse de sorts qui arrivait au *parc à vaches* ! Elle avait de la difficulté à se traîner. Elle est entrée dans l'enclos des bêtes et là, ils l'ont vue faire des gestes avec ses mains et prononcer des paroles. Puis, elle est retournée chez elle. Tout de suite, les deux vaches sont redevenues normales comme avant. [L. L.]

......

Un Madelinot était agent de police en Abitibi. Dans l'accomplissement de sa charge, il avait dû sévir contre une famille. Par la suite, un sort s'est acharné contre lui. Ses animaux mouraient les uns après les autres ; son blé pourrissait, etc. Les gens lui répétaient : « Tu es *bâdré*[5] par le sorcier ! » Mais lui n'y croyait pas. Un jour, une dame entre chez lui tandis qu'il était absent, et elle apprend de l'épouse l'affliction dont cette famille était frappée. « Mais alors ! Chauffons le sorcier ! » dit cette dame. Aussitôt dit, aussitôt fait. Elles déposent des aiguilles dans un plat rempli d'eau bénite qu'elles mettent à bouillir. Une autre vache se mourait à ce moment-là. Quand l'eau est devenue bouillante, la sorcière — c'était la femme soupçonnée — est arrivée en trombe et s'est mise à crier : « Arrêtez! Arrêtez ! Elle va aller mieux ! Elle

[4] *Tirer* : traire.

[5] *Bâdrer* : importuner, harceler.

va aller mieux ! » De fait, la vache a guéri et le sort cessa à partir de ce moment-là. [Mme S. N.]

. . . . . .

Ces jeteurs de sorts ne demandaient pas au nom de la charité. Ils ne savaient pas demander. Et au moindre refus, ils proféraient des menaces : « Vous vous souviendrez de moi ! » ou « Il vous arrivera malheur ! »

Une fois, un quêteur de cet acabit arrive dans une maison où il y avait deux petites filles. Il demande de la viande. La mère refuse de lui en donner. Alors, il dit en pointant les enfants du doigt : « Madame, dans un an, vos deux enfants marcheront avec des perches ! » C'est ainsi qu'il désignait les béquilles. La femme le chassa : « Allez-vous-en avec vos histoires. Vous ne me faites pas peur. »

Au bout d'une année, les deux filles furent prises d'un mal de jambes étrange et durent se servir de béquilles pour marcher. Et elles sont restées estropiées pendant longtemps. [N. A.]

. . . . . .

Des pêcheurs partaient en bateau pour plusieurs jours sur la grande mer. L'un des membres de l'équipage avait été écarté pour être supplanté par un autre homme. L'histoire ne dit pas pour quelle raison. Mais le pêcheur évincé n'était pas content, et on l'entendit dire : « Mon remplaçant n'ira pas à bord du bateau ! » Au moment de quitter la maison, ce dernier dit à son épouse : « Avant de partir, je vais te faire des *éclats* pour allumer le poêle durant mon absence. » Il est sorti et s'est mis à couper du bois. Au bout de quelques minutes, il se fendait un pied avec sa hache. Non seulement il n'a pas pu aller sur le bateau, mais il a perdu son été. Et l'équipage, saisi de frayeur, reprit le même homme qu'il avait tenté d'évincer. [Mme M. M.]

. . . . . .

La chasse aux loups-marins se pratiquait par escouades de cinq ou six hommes. Après la chasse, ces hommes partageaient la prise entre eux en parts égales.

Un jour, un membre d'une telle équipe est arrivé à la côte en retard. Ses compagnons étaient déjà partis, tandis qu'ils auraient dû l'attendre. Alors, il a voulu tenter sa chance quand même et il est parti à la chasse tout seul. Son groupe habituel n'a rien trouvé ni tué, tandis que lui, il a eu la bonne fortune de tomber sur des troupeaux de loups-marins et d'en tuer deux charges d'homme.

Revenus à terre, ses compagnons ont exigé qu'il partage avec eux comme d'habitude. Il ne voulait pas, mais contre cinq hommes, il ne pouvait rien. Ils ont donc divisé ses peaux de loups-marins entre eux et lui. Il s'est mis en colère et leur a dit : « La main qui partage mes loups-marins ne servira plus jamais. » Les autres n'en ont pas fait cas, et ils se préparaient à partir en traîneau avec leurs peaux quand il a repris : « Le cheval qui *hale*[6] mes loups-marins *bazira*[7] ; il n'en *halera* jamais d'autres. »

Quelques jours plus tard, l'homme qui avait partagé les peaux s'est coupé la main et la *marine d'huile*[8] s'est mise dans la plaie. Sa main a pourri et il ne s'en est jamais servi de sa vie. Puis le cheval, encore jeune, qui avait traîné les peaux, mourait quinze jours plus tard. [Mme M. M.]

......

Un jeune homme de dix-sept ans était orphelin de père et demeurait le seul soutien de sa mère. Comme membre d'une escouade de chasseurs de loups-marins, il était vaillant et capable à l'ouvrage, au point que son rendement égalait celui des hommes plus âgés. Mais à la fin de la saison de chasse, parce qu'il était jeune, on ne voulut pas lui donner sa pleine part du *butin*. Il ne reçut qu'une demi-part. Sa mère, mise au courant, fit toute une colère ! Elle alla même jusqu'à dire : « Celui qui a partagé les loups-marins ne se servira plus de sa main ! » L'auteur du partage était un pêcheur. Arrivé au mois de mai, il a commencé à sentir une douleur à la main. Puis le mal a augmenté. La gangrène s'y est mise et les doigts sont tombés. Il ne s'est jamais plus servi de sa main. [Mme M. M.]

......

C'était en septembre, durant la pêche au maquereau. Des gens de Cap-aux-Meules, de Grand-Ruisseau, de Fatima, pêchaient à la Pointe aux Loups. Le maquereau abondait autour des Îles cette année-là.

Un lundi, les embarcations étaient rentrées avec de grosses charges. Après avoir débité leur poisson, les plus âgés des pêcheurs s'étaient couchés, tandis que les jeunes de dix-sept ou

[6] *Haler* : tirer, déplacer.
[7] *Bazirer* : disparaître.
[8] *Marine d'huile* : gangrène.

dix-huit ans se mirent à s'amuser, à crier, à se tirailler, à *faire le diable*. Une femme de Pointe-aux-Loups avait fait la lessive ce jour-là, et tout son beau linge blanc séchait sur la corde dehors. Nos jeunes étourdis, devenus sans cœur dans leurs folies, ont cassé la corde, jeté tout ce linge par terre et l'ont piétiné de leurs pieds boueux. La femme, en voyant ce dégât, a *fait une colère* de l'autre monde. Il y avait de quoi décourager une sainte du ciel et elle a perdu la tête de rage. Elle a sacré, tempêté, crié. Puis elle a hurlé : « Vous riez ce soir, mais demain, il y aura plus de pleurs que de rires parmi vous ! »

Le lendemain, comme il faisait beau, tout le monde est sorti à la pêche au maquereau. Mais dans la journée, une tempête s'est élevée si soudainement qu'elle a surpris tous les pêcheurs. Les embarcations s'en venaient à cinquante ou soixante verges du rivage et chaviraient comme des coquilles de noix. Il y eut cinq noyades. Et le soir, c'était le deuil et la consternation générale. [W. B.]

……

John Longueépée de Pointe-aux-Loups était bon chasseur. Il avait l'œil sûr et ne manquait jamais un coup de fusil. On disait qu'il tirait comme un *Sauvage*. Un jour, il dit à Annie, son épouse : « Nous devrions prendre deux petits cochons à engraisser. Ça nous donnerait de la viande pour cet hiver. » Avec le consentement de sa femme, il s'en fut les acheter chez un dénommé Alexandre, mais ne les paya pas. Ils coûtaient un dollar chacun. Les mois passèrent et John ne payait pas. Il n'en parlait même pas à son créancier et ne lui donnait aucun signe de vie.

Alexandre commençait à grincer des dents. Il dit un jour à sa femme : « Je vais être obligé de lui jeter un sort ! » Il fit un souhait. John, de son côté, n'en savait rien ; mais il ne tarda pas à s'en apercevoir. Le jour même, dans l'après-midi, il alla à la chasse où il devint le témoin et la victime d'un phénomène inusité. Chaque fois qu'il apercevait un gibier, il était ébloui par des globes lumineux qui l'empêchaient de tirer avec justesse, et il manquait la cible à tout coup. Et il en fut ainsi tous les jours suivants. Impossible de frapper le gibier ! Il trouvait cela singulier, lui qui n'avait jamais encore raté un coup. À la fin, il s'est douté de quelque chose et il a dit à son épouse : « Alexandre m'a fait un souhait parce que je n'ai pas payé ses cochons. Je suis certain qu'il m'a jeté un sort. C'est pour cela que je ne peux plus tirer. » Le même jour, il s'en alla trouver son créancier :

« Tiens ! Voilà tes deux dollars ! » Celui-ci prit l'argent ; puis, lui tapant sur l'épaule, lui dit : « On est quitte et bons amis maintenant ! »

À partir de ce moment, John put tuer ce qu'il voulait, au fusil. [J. D.]

……

C'était au début du siècle dernier. À cette époque aux Îles, l'hiver surtout, on se rendait souvent visite. Ainsi des gens de Havre-Aubert venaient à pleines carrioles voir les gens de Barachois et, à leur tour, les gens de Barachois se rendaient à Havre-Aubert. Ces visites duraient trois ou quatre jours et donnaient lieu à beaucoup de réjouissances. On jouait aux cartes et on dansait au son du violon.

Une fois, des gens de Barachois se préparaient à aller passer une semaine chez les Bassiniers[9]. Une femme, qui devait être du groupe, apprit la veille du départ seulement qu'il n'y avait point de place pour elle dans les carrioles. Celles-ci étaient déjà surchargées et les chemins étaient mauvais. Cette femme fut insultée et, donnant libre cours à sa colère, elle s'écria : « Ah ! c'est comme ça ! Eh bien ! Personne n'ira au Bassin demain ! » Elle attrapa son matou, un gros chat noir, et elle le fourra sous une cuve dehors, sur laquelle elle mit des poids pour le tenir prisonnier. Le vent tapa à l'est à soixante-quinze milles à l'heure. Puis la neige ! La tempête dura trois jours de temps et les gens de Barachois ne purent aller au Bassin. [W. B.]

……

À une quinzaine de milles au nord-est de la pointe de l'est de Grande-Entrée se trouve le rocher aux Oiseaux. Une légende veut qu'il ne se passe pas dix années sans qu'il n'y arrive un malheur.

Vu les nombreuses pertes de navires que les tempêtes jetaient sur ce rocher, le gouvernement dut y bâtir un phare. Celui qui le construisit aurait reçu la promesse, paraît-il, d'en être le premier gardien. Mais la promesse ne fut pas tenue et le bâtisseur jeta un sort sur le rocher aux Oiseaux. Selon d'autres, le premier gardien y eut tant à souffrir d'isolement que c'est lui qui aurait fait un mauvais souhait[10]. Quoi qu'il en soit, le deuxième gardien se perdit sur les glaces, avec son fils, le 8 avril 1880.

---

[9] C'est ainsi qu'on nommait les gens du Bassin.

[10] Paul Hubert, *Les îles de la Madeleine et les Madelinots*, Rimouski, 1926, p. 199, note 2.

L'année suivante, un visiteur, Paul Chenell, se fit tuer par l'explosion du canon dont la détonation guidait les pêcheurs dans la brume. Mais le sort s'acharna surtout sur les gardiens. En 1891, une autre explosion d'un pareil canon emporta la main de Télesphore Turbide. Le 7 mars 1897, Arsène Turbide et son adjoint, Damien Cormier, périrent sur les glaces à la chasse aux loups-marins. Le 26 juillet 1908, le fils du gardien se démit un bras. Puis, au début de mars 1911, Wilfrid Bourque mourut subitement ou se noya au bord de la côte où il chassait. Enfin, en novembre 1922, tout le personnel du phare s'empoisonna en buvant de l'eau recueillie dans un grand réservoir. Deux personnes en moururent.

Tant de malheurs ne pouvaient manquer de susciter des légendes. De là le sort jeté — ou le souhait — qui serait, dans l'imagination populaire, à l'origine de ces drames[11]. [W. B.]

……

Une jeune fille de vingt ans était courtisée par un mauvais jeune homme. Qu'est-il arrivé ? L'a-t-elle abandonné ? Était-il sorcier ? On n'en sait rien. Mais la demoiselle a subi un sort terrible. Elle a été changée en brebis et elle est demeurée ainsi pendant six mois. Puis elle est redevenue une jeune fille normale. Plus tard, elle se rappelait son état de brebis, sa situation, quand elle se trouvait parmi les troupeaux et que les propriétaires la prenaient pour une brebis étrangère. [W. B.]

B) *Changement de formes*

Comme le démon avec qui ils ont affaire, les sorciers peuvent parfois se changer en bêtes : chien, cochon, cheval ; ou en oiseaux, de préférence en corbeau parce que cet oiseau est noir. Mais ce pouvoir semble être un privilège que ne possèdent pas tous les sorciers. Aux îles de la Madeleine, seuls des étrangers, francs-maçons et commerçants au cœur dur, selon la légende, ont pu en user. À ce point de vue, deux individus surtout sont célèbres dans la tradition orale des Îles ; ce sont un Godin et un Corks. Les deux, paraît-il, étaient francs-maçons, commerçants, acheteurs de poissons et louaient des embarcations et des agrès de pêche aux Madelinots. Chacun d'eux dirigeait une entreprise relativement importante aux Îles. Les usines et le commerce de Godin étaient situés à Havre-aux-Maisons, tandis que ceux de Corks étaient à Grande-Entrée.

[11] Voir aussi *Le bâton fourchu dans les îles du grand golfe*, Éditions du Bien Public, 1957, p. 97-98.

Ces deux hommes d'affaires surveillaient de près leur commerce. S'ils devaient s'absenter de temps en temps, ils n'en négligeaient pas pour autant leurs intérêts aux Îles. Ainsi, Godin, durant ses voyages prolongés sur la terre ferme, revenait souvent sous forme de corbeau surveiller ses biens et le travail de ses hommes. Des Madelinots qui pêchaient pour lui se trouvaient au large sur la mer. La goélette et les agrès appartenaient à Godin. Un dimanche après-midi, alors que les hommes étaient au repos, un corbeau est venu se percher sur le bout du grand mât. Tout de suite, un membre de l'équipage a pris son fusil et a voulu le tuer; mais le capitaine l'a arrêté: « Non, lui dit-il, ne tire pas. C'est Godin qui vient voir ce que nous faisons. » [N. A.]

Corks quittait les Îles tous les automnes et ne revenait qu'au mois de mai. Chaque année, son retour était annoncé par un corbeau, qui se posait sur la maison, sur son usine et sur ses autres édifices. Il avait un cri caractéristique, paraît-il, et les gens savaient que Corks était en chemin. [N. A.]

……

Le pont *à* Amable, dans la localité appelée autrefois Barachois, est célèbre pour ses histoires de peurs, de revenants et de sorciers. On donne comme explication des bruits qu'on y entendait les arbres morts qui tombaient dans le ruisseau et surtout un arbre qui, remué par le vent, frottait deux branches l'une contre l'autre, ce qui produisait de longs et lugubres gémissements. Enfin, les farceurs y jouaient beaucoup de tours pour effrayer les gens. Quoi qu'il en soit, voici deux légendes parmi tant d'autres qui concernent le pont *à* Amable.

Eusèbe Chevary s'en revenait de veiller. Il était en selle, car on voyageait alors à cheval. Arrivé au bout du pont, il a aperçu, dessus, une forme noire qui remuait. Le cheval s'est arrêté. Talonné, il s'est mis à renâcler et à se cabrer, mais il refusait absolument d'avancer. Eusèbe n'a jamais pu lui faire passer le pont.

Un jeune homme de dix-huit ans devait la nuit traverser le même pont pour aller à la pêche. Il portait toujours relevées ses grandes bottes de pêcheur. Un soir, en arrivant au pont, ses bottes sont tombées d'un coup sur ses talons et un gros chien noir est apparu en même temps, qui lui barrait le passage. Pris de peur, le jeune homme a couru chez l'un de ses oncles qui demeurait tout près. Il en a été malade durant deux ans. [D. M.]

……

Louis-Olivier Gamache, né à L'Islet vers 1784, est mort dans l'île d'Anticosti après y avoir vécu pendant quarante-cinq années. Au début du siècle, voici ce que l'on disait encore de lui : « Il n'est pas un pilote du Saint-Laurent, pas un matelot canadien qui ne connaisse Gamache de réputation ; de Québec à Gaspé, il n'est pas une paroisse où l'on ne répète de merveilleuses histoires sur son compte. Dans ces récits populaires, il est représenté comme le beau (*sic*) idéal d'un forban, moitié ogre et moitié loup-garou, qui jouit de l'amitié et de la protection spéciale d'un démon familier[12]. »

Cette réputation d'un homme qui était farceur mais honnête a dépassé les côtes de Gaspé pour se rendre jusqu'aux îles de la Madeleine. Ici, on dit que ce Gamache fut le premier gardien du phare d'Anticosti. À chaque printemps et tous les automnes, il faisait un voyage à Québec en bateau. Il n'avait jamais d'hommes avec lui, mais à la roue, guidant le navire, un gros chien noir. À Québec[13], il se faisait servir deux couverts, deux repas pour lui seul. Un diable invisible ou un sorcier l'accompagnait donc jusqu'à la table. Les marins qui, le soir, longeaient l'île d'Anticosti en bateau entendaient un tintamarre effrayant sortir de la demeure de Gamache. Enfin, il se serait fait enterrer debout dans la fosse pour continuer à voir la baie d'en face. [A. L.]

……

Si les Jersiais prenaient plaisir à étonner les Acadiens naïfs avec leurs histoires de chasse-galerie, ils ne pouvaient manquer d'en faire autant avec leur prétendue sorcellerie. Ils étaient établis à Chéticamp depuis 1770 et y avaient introduit la méthode consistant à faire sécher la morue sur des *vigneaux*[14]. Ce travail était long et exigeait beaucoup de main-d'œuvre, surtout féminine.

Une vieille Acadienne, née à Chéticamp et venue aux Îles étant grande fille, racontait qu'à certains jours, les travailleuses étaient *bâdrées* par les sorciers qui, sous toutes sortes de formes, se promenaient entre les *vigneaux*. Elles voyaient des flétans se balader, puis des porcs, des chiens et des chevaux noirs qu'on ne connaissait pas à Chéticamp. Et ces bêtes étranges n'étaient autres que des sorciers jersiais.

[12] Mgr Charles Guay, *Lettres sur l'île d'Anticosti à l'honorable Marc-Aurèle Plamondon*, Montréal, 1902, p. 220-236.

[13] En réalité, c'est à Rimouski qu'il aurait joué ce tour. *Lettres sur l'île d'Anticosti...* l. c.

[14] *Vigneaux* : treillis sur poteaux.

Elle racontait aussi l'aventure suivante arrivée à son père.

Il travaillait pour les Jersiais, et son travail se poursuivait souvent le soir jusqu'à des heures tardives. Une fois, alors qu'il s'en retournait chez lui, il aperçut un petit chien qui le suivait. Il voulut l'attraper, mais la bête évitait de se laisser prendre. À la maison, aussitôt la porte ouverte, le chien se glissa en dedans comme un éclair. Et même à l'intérieur, il était si vif qu'il demeurait insaisissable. Comme son épouse était couchée et dormait, l'homme ne voulait pas faire trop de bruit. Il se déshabilla, mit son linge sur un coffre et se coucha. Le petit chien qui *virounait* tout le temps sauta alors sur le coffre et s'étendit sur le linge. Après quelques instants, l'homme fit semblant de dormir, tout en surveillant cette bête du coin de l'œil.

Quand le chien crut que l'homme dormait, il se leva ; à ce moment, il n'était plus un chien mais bel et bien un homme. Alors notre ami, qui simulait le sommeil, lui sauta dessus et lui administra une terrible raclée avant de le flanquer à la porte. Le lendemain, quand il retourna au travail, il se rendit compte qu'un Jersiais manquait : « Oui, il est malade. » Mais lui savait bien de quoi il s'agissait et il pensait : « S'il vient me *bâdrer* de nouveau, il sera encore plus malade que ça ! »

Plusieurs semaines s'écoulèrent sans autre incident. Mais un soir, encore en s'en allant, qu'est-ce qu'il aperçoit sur le chemin ? Un chaudron de fer rempli de feu qui roulait à quelques pieds devant lui ! Comme il y avait une clôture qui longeait la route, il cassa un piquet qu'il passa dans l'anse du chaudron et il se mit à le faire tourner de toutes ses forces. Il avait entendu dire que, de cette façon, on tordait le cou du sorcier. Tourne ! Puis tourne ! Rendu à bout de forces, il lâcha le chaudron, qui disparut.

Le lendemain matin, il manquait encore un Jersiais à l'ouvrage. Il en fit la remarque : « Il en manque un ! » Les autres répondirent : « Oui. Puis il est joliment *failli*. Il s'est brûlé cette nuit. » Alors, il leur dit : « Il s'est brûlé cette nuit ? C'est moi qui l'ai brûlé. Et puis, s'ils n'arrêtent pas leurs manigances, ces sorciers-là, je vais tous les tuer ! Qu'ils ne pensent pas de m'*épeurer* ! »

Il ne fut jamais plus ennuyé par la suite. [J. D.]

3. Les diseuses de bonne aventure

Une demoiselle de L'Étang-du-Nord travaillait à l'usine de poissons au cap de L'Hôpital, dans la paroisse de Fatima. Elle faisait tout ce trajet à pied, matin et soir. Un jour, pour rire, elle se fit *tirer au thé* par l'une de ses compagnes de travail, diseuse de bonne aventure. Celle-ci lui dit : « Ce soir, tu veilleras un mort et demain tu iras à l'enterrement. » Notre demoiselle s'est moquée d'elle. Veiller un mort ! Personne n'était décédé ni dans la parenté, ni chez les voisins, ni même dans la paroisse !

Mais le soir, sur le chemin du retour, elle fut surprise de voir une dame venir au chemin lui demander en grâce d'entrer l'aider à veiller une personne qui était morte la veille. À cette époque, il n'y avait pas de téléphones et les nouvelles prenaient du temps à se répandre. Devant une telle demande, personne aux Îles ne saurait refuser. Alors, notre demoiselle est entrée passer la nuit à veiller le mort. Elle se disait : « Je n'irai pas à l'enterrement. Je n'ai aucune raison d'y aller ; ce n'est pas de ma parenté et je suis trop fatiguée. » Le lendemain, vu que le corps devait passer par L'Étang-du-Nord, elle a suivi le cortège. À la barrière de chez elle, sa mère l'attendait pour lui demander de se rendre aux funérailles parce que personne d'autre de la famille ne pouvait y aller, et elle jugeait convenable que quelqu'un des leurs y soit. Alors, la jeune fille s'est résignée et elle a assisté aux funérailles. Tout ce que la diseuse de bonne aventure lui avait prédit s'était donc réalisé. [Mme S. N.]

……

Lors d'un voyage à Halifax, un jeune homme des Îles s'était *fait tirer* aux cartes. On lui avait dit : « Tu as ton jonc de mariage sur toi et tu vas te marier bientôt. Tu auras neuf enfants, mais tu ne verras pas le dernier. » En effet, il avait son jonc sur lui et il s'est marié à son retour d'Halifax. Il a eu huit enfants, et il était âgé de trente-six ans quand son épouse attendait son neuvième bébé trois semaines plus tard. Il s'est alors souvenu de ce que la cartomancienne lui avait prédit et il a dit : « Est-ce possible que je n'aie pas trois semaines à vivre ! » Il était en pleine santé. Mais quelques jours plus tard, il se planta un clou dans le pied et mourut en huit jours d'empoisonnement du sang, sans avoir vu son neuvième enfant. [Mme S. N.]

4. Les doubles

Il s'agit ici du phénomène qui consiste à voir une personne à un endroit quand, en réalité, elle est ailleurs.

Un jour, une dame LeBlanc vit son mari revenir du bois vers quatre heures de l'après-midi. Un homme qui était chez elle pour affaires à ce moment fut témoin du même phénomène. Ils ont vu venir le mari jusqu'au bûcher, y planter sa hache dans une bûche puis s'avancer vers la maison. Ils ont apparemment détourné la vue un instant. Quand ils ont regardé de nouveau, il n'y avait plus rien. Et le mari n'est pas entré. Il n'est revenu du bois que beaucoup plus tard, le soir. [W. B.]

……

Une autre femme, de Pointe-aux-Loups, avait vu arriver son mari qui revenait des noces à Fatima. Elle s'est même hâtée de mettre la table. Or, il n'est pas entré et il n'est jamais revenu chez lui. Il était tombé en bas d'un cap et s'était noyé. [W. B.]

……

Un jour, Jos Mius voit venir chez lui Ben Éloquin avec des planches sur ses épaules. Il l'a vu jeter sa charge sur la *galerie* avant d'entrer. Il a même rangé une chaise pour lui dans la cuisine. Mais Ben n'entrait pas. Alors, Jos est sorti pour lui parler ; mais il a eu la surprise de sa vie en ne voyant ni planches ni Ben.

Une semaine plus tard, deux hommes, un jeune et un vieux, se noyaient.

L'épouse du vieux vint trouver Jos pour lui demander de fabriquer le coffre[15]. Elle lui dit que Ben Éloquin lui apporterait la planche. En effet, Ben arriva avec sur ses épaules la même planche vue huit jours auparavant, la jeta sur la *galerie* et, cette fois, entra. C'était à Grande-Entrée. [W. B.]

[15] *Le coffre* : le cercueil.

CHAPITRE V

LÉGENDES RELATIVES AUX ÊTRES ET AUX ESPRITS QUI VIVENT EN DEHORS DES HUMAINS

1. Le bateau-fantôme

Tandis que la pointe nord-est du Nouveau-Brunswick est riche en légendes du bateau-fantôme, il est étonnant de constater que d'autres régions du golfe n'en possèdent aucune. Ainsi, des enquêtes menées à Chéticamp n'en ont pas noté un seul cas et, aux îles de la Madeleine, nous n'avons pu recueillir que le fait suivant, dont personne n'a jamais entendu parler excepté l'informateur qui nous dit l'avoir vu et qui, d'ailleurs, ne peut fournir aucune explication sur l'origine ou la nature de ce bateau-fantôme.

Simon Deraspe, né vers 1873, avait souvent à voyager la nuit durant sa jeunesse. Un soir qu'il se trouvait sur la dune du nord à Pointe-aux-Loups, il a aperçu un bateau tout illuminé qui filait vers le nord, non pas sur l'eau mais sur la côte, sur le sable. Le témoin l'a regardé aller jusqu'à ce qu'il le perde de vue. [S. P.]

2. Les feux mystérieux

A) *Le feu du Banc*
Le Banc dont il s'agit ici est la barre de sable qui part de Havre-Aubert et qui s'avance profondément dans la baie de Plaisance vers l'île d'Entrée.

Un bateau y fit naufrage un jour. Le capitaine, dans sa rage de ne pouvoir sauver son navire, l'aurait voué au diable ainsi que tous les navires qui passeraient par là à l'avenir.

De fait, plusieurs bateaux s'y sont perdus et l'histoire y a enregistré de nombreuses pertes de vies.

Depuis cette malédiction jetée par ce capitaine malheureux, on voyait souvent des feux mystérieux sur le Banc. Ces feux sautaient, dansaient et se promenaient sur cette dune qu'ils abandonnaient parfois pour s'avancer à l'intérieur des terres, jusqu'à L'Étang-du-Nord et Fatima. Un soir, les gens des caps ouest attendaient devant leur école pour assister à une assemblée quand ils ont vu le feu du Banc passer au-dessus d'eux et aller se perdre dans la forêt. Ce feu présageait des naufrages et des malheurs et apparaissait quand le temps annonçait du vent d'est[1]. [A. P.]

B) *Le feu de L'Étang-des-Caps*
Un brick danois s'était perdu sur la dune du nord entre L'Étang-des-Caps et L'Étang-du-Nord. Il n'y eut pas de noyades. Mais la légende croit que le capitaine avait caché un trésor et l'avait confié au diable. À la suite de ce naufrage, on vit une boule de feu grosse comme un baril se promener la nuit, des ruines du brick à L'Étang-des-Caps. Quand elle revenait à l'épave, elle montait très haut et éclatait en mille *beluettes*[2] éclairant toute la région, puis elle redescendait et se remettait à rouler sur l'étang. Presque tout le monde de L'Étang-des-Caps a vu ce feu, qui se montrait surtout durant les vents d'est. Même les chiens des chasseurs en avaient peur. Il a continué de se manifester longtemps après le naufrage, tant que les ruines du bateau sont demeurées visibles. [J. C.]

C) *Le feu de L'Hôpital*
Il faut se rappeler ici que lorsqu'on parle de L'Hôpital, il s'agit d'une localité située dans la paroisse actuelle de Fatima.

Autrefois, un brick s'y était perdu corps et biens. Depuis ce temps, la nuit, on voyait souvent un feu. Nous avons questionné des témoins qui l'ont vu. Voici le récit de l'un d'eux.

« Par une belle soirée d'hiver, avec clair de lune, nous étions quelques jeunes gens qui marchions dans la région de L'Hôpital. Tout à coup, on aperçut un feu sur l'étang. Le feu semblait danser et il en sortait ce qu'on appelle des *bullevettes* ou des *beurtons*[3]. On l'a regardé aussi longtemps qu'on a voulu.

[1] Le feu du Banc n'existe plus depuis une vingtaine d'années. On ne le voit plus. Mais il a réellement existé, car trop de témoins l'ont vu pour douter de son existence. Si d'aucuns lui attribuaient une origine diabolique, un grand nombre de témoins y voyaient un phénomène naturel dont personne cependant n'a pu découvrir la cause. Bien des gens, notamment Alpide Painchaud, ont voulu se rendre compte par eux-mêmes de la nature de ce phénomène. Ils se sont rendus plusieurs fois sur le Banc où ils voyaient danser le feu. Mais arrivés là, ils ne voyaient plus rien.

[2] *Beluettes* : étincelles.

[3] *Bullevettes, beurtons* : autres mots pour étincelles.

Quelques-uns ont proposé d'aller l'examiner de plus près, mais les autres ont refusé, disant : « C'est inutile. On y est déjà allés et, rendus là, il n'y avait rien. » [J. L.]

D) *Le feu de la Belle Anse*

Voici le récit d'un feu vu par John LeBlanc de la Belle Anse.

« C'était un mauvais soir d'automne, nous dit-il. Il neigeait beaucoup. J'avais été veiller chez un de mes cousins, tout proche d'ici. En même temps, un de mes amis, qui demeurait chez un de mes beaux-frères, s'était rendu dans une autre maison un petit peu plus loin. Il avait une lumière de poche avec lui ; moi, je n'en avais pas.

« Vers dix heures, j'ai dit : "Bon ! Je vais m'en aller." Il ventait et il neigeait si fort qu'on ne voyait rien. Je me suis orienté et je suis parti. Après avoir fait cinq ou six cents pas, j'ai vu venir une lumière à ma gauche. J'ai pensé que c'était mon ami qui s'en retournait, lui aussi, avec sa lumière de poche à la main. Mais il ne suivait pas la bonne route. Je me suis arrêté et je lui ai crié. Pas de réponse, même si le vent portait vers lui et s'il aurait dû m'entendre très bien. Il coupait le chemin à deux cents pas devant moi. Je lui ai crié de nouveau : "Va pas là ; tu t'*écartes*[4] !" Rien encore. Alors, j'ai décidé de marcher vite vers cette clarté pour voir ce que c'était. Mais elle n'arrêtait pas. Elle filait vers le nord à deux ou trois pieds de terre. Là, je me suis mis à courir pour la rattraper. Plus je courais, plus elle avançait, maintenant toujours la même distance entre nous deux. Quand j'ai eu fait un bout, j'ai pensé : "Il faut que j'arrête. Je *vas* me perdre !" La lumière a continué sa course vers le nord. Et moi, j'ai eu beaucoup de difficultés à retrouver mon chemin. J'étais dans les arbustes, avec de la neige jusqu'à la ceinture. À la fin, j'ai découvert ma route et je me suis rendu chez nous où je me suis couché épuisé à mort. » [J. L.]

E) *Un feu invité à allumer une pipe*

Un soir, un jeune homme longeait les caps en compagnie d'un de ses oncles. À un moment donné, il a sorti sa pipe, l'a bourrée de tabac et a voulu l'allumer, mais ni l'un ni l'autre n'avaient d'allumettes. Quand ils furent rendus à l'anse des Baleiniers, il a aperçu un feu sur l'eau, qu'il a montré à son oncle. En gouaillant,

[4] *S'écarter* : s'égarer, se perdre.

il a dit : « Attendez un peu. Je vais allumer ma pipe ! » Puis, il a crié au feu : « Viens vite allumer ma pipe ! » À l'instant, ils ont senti le feu sur leur figure, avec une forte odeur de soufre. Alors, l'oncle a réprimandé son neveu : « Malheureux ! On ne fait jamais un pareil geste ! » [Mme M. M.]

F) *Autres feux*
Il y a eu, paraît-il, beaucoup d'autres feux du même genre aux îles de la Madeleine. Tous, ou à peu près tous, apparaissaient en des lieux où des bateaux avaient fait naufrage et s'étaient perdus. Il y eut le feu de la dune du nord, à Pointe-aux-Loups, un feu sur l'eau entre l'île Brion et la Grosse Île, le feu du goulet du nord, le feu de la dune des Mallettes et le feu du Corps-Mort.

G) *Le feu des loups-marins*
À la période de la chasse aux phoques, il arrivait souvent que les guetteurs apercevaient des feux au loin sur les glaces. Ces derniers apparaissaient surtout au nord-ouest des îles et brillaient par intervalles et à des points différents. La nouvelle se répandait vite, car ces feux mystérieux annonçaient l'arrivée du gibier et une chasse abondante en perspective.

Comment expliquer ces feux ? Voici ce qu'en pensent certains Madelinots. Les loups-marins entretiennent des trous dans la glace par où ils peuvent disparaître au besoin. Régulièrement, quelques-uns d'entre eux plongent et remontent pour empêcher les trous de geler. Or, quand des milliers de ces animaux font ainsi gicler l'eau autour d'eux, cela crée un scintillement qui, de loin, prend l'apparence d'un immense brasier. Ce serait là l'explication du feu des loups-marins.

H) *Le feu Saint-Elme*
« Mon oncle et son père, raconte John LeBlanc, passaient la nuit à pêcher au large. *Par une bonne marée*[5], ils ont aperçu une lumière sur le faîte du grand mât. Le père a dit à son garçon : "Ça, c'est ce qu'on appelle le feu de *Saint-Arme*. Et c'est signe d'une tempête. Allons-nous-en." Ils ont pu se rendre au port avant l'orage, mais tout juste.

« Une autre fois, dans une circonstance similaire, d'autres pêcheurs ont vu la même clarté. Un membre de l'équipage, qui

[5] Expression fréquente aux Îles et de couleur bien locale pour : *Une bonne fois*, *une fois*, ou *un jour*.

ignorait ce que c'était, a voulu la tirer au fusil. Mais un autre l'a arrêté : "Ne tire pas là-dessus ! C'est un feu de *Saint-Arme*. Chantons plutôt le *Salve Regina*." En effet, c'est le moyen qu'utilisaient les pêcheurs des Îles pour chasser ce feu ; ils chantaient ce cantique à la Vierge. Et cette fois comme les autres, le feu aurait disparu. » [J. L.]

3. Les feux follets

Aux îles de la Madeleine, comme partout ailleurs dans les campagnes, il y a eu, selon la légende, des feux follets en quantité. Certaines localités en étaient même infestées. Pour cette raison, les gens craintifs n'osaient point passer, de nuit, par le pré d'Albert, à Boisville. Aujourd'hui, comme les feux mystérieux, comme les sorciers, les feux follets ont disparu.

Nous avons rencontré quand même certaines personnes qui prétendent en avoir vus. Voici quelques faits racontés par ces témoins oculaires.

« C'était un soir d'octobre, nous dit J. L. Il n'y avait pas de lune, mais il ne faisait pas très noir. J'étais jeune homme. J'avais été veiller avec ma *blonde* et je m'en revenais chez-nous à travers les champs. Il était onze heures.

« Pour mon retour, j'avais à côtoyer un petit lac, à monter et à descendre une colline puis à en remonter une autre. Une fois rendu en haut de la première côte, j'ai aperçu un feu dans les champs. Je n'en ai pas fait de cas. Mais il approchait et semblait longer une clôture, se dirigeant vers moi. Je me demandais bien qui pouvait s'en venir ainsi avec un fanal. Je me suis penché pour me rendre compte si je ne verrais pas des pieds en dessous de la lumière. Je ne distinguais rien. Plus le feu avançait, plus il grossissait. J'ai alors compris que ce n'était pas un fanal ni un feu naturel. Là, je me suis souvenu d'avoir entendu dire que lorsqu'un feu follet venait à toi, tu n'avais qu'à faire la croix dessus pour le chasser. Quand j'ai constaté qu'il allait me barrer la route, j'ai fait la croix sur lui. À l'instant, il est parti comme le vent, et juste le temps de le dire, il avait parcouru un mille, puis il avait disparu. Moi, j'en ai profité pour monter la butte. J'avais encore à la descendre et à traverser le ruisseau pour me rendre chez nous. Arrivé en haut, je l'ai aperçu qui s'en revenait à une vitesse épouvantable, peut-être bien à cent milles à l'heure. Il s'est arrêté au pont qui enjambait le ruisseau devant moi. Et là, il s'est mis à prendre du volume. Il est devenu aussi gros qu'un tonneau. Il se balançait..., on aurait dit qu'il dansait. Mais il n'avançait pas, car le feu follet, comme le sorcier, ne peut pas passer sur un pont pour la bonne raison que celui-ci fait une croix avec le ruisseau qu'il croise. Moi, j'étais arrêté là à quelque cent pieds de lui, et je n'étais pas trop rassuré. Après un bout de temps, il est reparti et s'est éloigné. J'en ai profité pour traverser le pont et courir chez nous. Ce n'est que rendu à la maison que j'ai regardé en arrière ; et il était revenu au même endroit près du pont.

« J'ai réveillé ma mère et mes sœurs qui étaient couchées. Je leur ai dit : "Levez-vous et venez dehors. Je veux savoir si vous verrez la même chose que moi ou si mes yeux me trompent."

« Elles se sont levées, *épeurées* à mort. Le feu était encore là et elles l'ont aperçu comme moi. Alors nous avons attendu pour voir ce qu'il adviendrait. Après une quinzaine de minutes, il s'est mis à monter la côte, puis il est redescendu s'arrêter au pont. Il a accompli le même trajet trois fois de suite. Et il filait comme une vision ! La quatrième fois, il s'est dirigé vers une montagne de plâtre, située en arrière de chez nous, et il est allé s'écraser dessus. On a vu les *beluettes revoler*[6] à cinquante pieds en l'air. Puis, il a disparu. » [J. L.]

......

« Un lundi matin, raconte un vieillard, j'avais été chercher un *voyage* de bois à la dune. Il était très tôt et j'étais certain d'être le premier rendu. Arrivé à La Martinique, j'ai aperçu une lumière au delà de la deuxième dune de l'ouest. Comme il était une heure du matin, je me suis dit : "Il y a des gens qui sont venus vers minuit, donc le dimanche." Mais rendu à la deuxième dune, je n'y ai pas trouvé cette lumière. J'ai examiné le sable. Il n'y avait aucune trace de charrette ni de cheval. À ce moment, j'ai vu le même feu qui traversait la baie. Il sautillait comme un fanal porté par la main d'un homme. J'ai vu tout de suite que c'était le feu follet. Mais je n'avais pas peur.

« J'ai chargé mon *voyage* de bois et j'ai monté dessus pour m'en revenir. Rendu au détroit de la dune, mon cheval s'est arrêté net. Je l'ai commandé. Rien à faire. Il ne voulait que virer de bord. J'ai tout essayé pour le faire avancer. Pas moyen ! Alors,

[6] *Revoler* : jaillir, gicler.

je me suis souvenu de ce que ma belle-mère m'avait dit une fois que si un cheval s'arrêtait ainsi sur la route, saisi par la peur d'un feu follet ou d'un sorcier, il suffisait de lui tracer un signe de croix sur la croupe. C'est ce que j'ai fait. Aussitôt, le cheval a décollé. Toute crainte avait disparu chez lui, tandis que moi, la peur m'avait saisi. Je crois que tout mon sang s'était retiré de mes veines, et mes cheveux s'étaient dressés au point de lever ma casquette. » [A. G.]

……

Aux Îles, la tradition veut que le meilleur moyen de se débarrasser d'un feu follet soit de planter un canif dans le sol ou, encore mieux, dans un arbre ou sur un poteau. Il faut abaisser le manche pour qu'il fasse, avec la lame, un angle aigu dans lequel le feu follet est obligé de passer. Dans ses efforts répétés, celui-ci se hache à mort ou se coupe le cou. Mais il est requis que la lame soit solidement prise car, si le feu follet réussit à arracher le canif, il peut faire un mauvais parti à celui qui l'a planté. Voici quelques légendes à l'appui de ces croyances.

Une nuit, un homme de L'Étang-des-Caps était parti à la chasse aux outardes. Il avait cessé de chasser vers deux heures du matin pour s'en retourner chez lui. En chemin, il a vu venir un feu follet derrière lui, qui l'a rattrapé puis l'a devancé sur la route. Notre homme n'avait peur de rien. Rendu chez lui, il a aperçu le même feu follet qui sautait et se promenait dans le pré du voisin. Il s'est dit en lui-même : « Il faut que j'essaie la méthode préconisée par les vieux. » Il a planté son canif en terre en laissant une partie de l'*alumelle* à l'air pour qu'elle fasse un angle tranchant avec le manche replié. Le feu follet s'en est venu droit au canif et, en sautant, il essayait de passer sous la lame. Il était si agité que notre homme a eu peur. Il s'est mis à courir vers la maison sans regarder en arrière. À une dizaine de pieds de la porte, un poids énorme l'a écrasé subitement. Et c'est à quatre pattes, en se traînant de peine et de misère, qu'il a pu se rendre à la maison. Il a fait lever sa mère qui, en le voyant, lui a dit : « Tu as eu peur. Tu es blême comme un mort ! » Il a répondu : « Oui j'ai eu peur » ; et il lui a conté son histoire. [G. L.]

……

Un soir, A. B., de la baie du Cap Vert, revenait de Grand-Ruisseau. Un feu follet s'entête à le poursuivre et à vouloir l'égarer. Car c'est le propre des feux follets d'éblouir leurs victimes, de les entraîner hors de leur route et de les perdre dans les prés et les marais. Pour s'en débarrasser, A. B. plante son canif dans un arbre. Le feu follet se met aussitôt à vouloir passer sous la lame, mais au lieu de se couper le cou, il arrache le canif... Comme A. B. entrait chez lui, le canif lancé *à toute raideur* est venu se planter dans la porte. [A. G.]

Le même événement légendaire est attribué aux Îles à beaucoup d'autres personnages.

......

R. L. s'en revenait d'une veillée, et il était tard. Tout à coup, il a vu un feu follet venir vers lui. Il l'a laissé approcher jusqu'à lui, puis il a essayé de l'attraper. Mais le feu follet sautait et s'esquivait. R. L. l'a poursuivi jusque dans les parcs et dans les prés, en marmottant : « Si je peux te mettre la main sur le dos, tu n'iras pas plus loin ! » Mais il ne pouvait pas le *poigner*[7]. À la fin, c'est le feu follet qui s'est fatigué et, tout à coup, il a parlé. Il a dit à R. L. : « Si tu ne *revires pas de bord*, je te *sacrerai* ma main sur la gueule ! » [L. L.]

4. Les lutins

Un informateur nous décrit la nature et le comportement des lutins dans le langage pittoresque que voici.

« Les lutins étaient des hommes, ni plus ni moins que des hommes. Mais c'était petit, huit ou dix pouces de hauteur, pas plus ! Et puis, c'était intelligent, capable et endurant ! Ils n'étaient pas nombreux, mais il y en avait.

« L'automne, par exemple, ils seraient entrés deux dans une étable. Ils auraient examiné le cheval et s'ils le trouvaient beau, ils auraient dit : "Bon, voilà un cheval de notre goût ! On va s'en servir pour un an !" Alors là, ils commençaient à se précautionner. Il fallait de l'avoine ; il fallait des brosses ; il fallait tout pour que le cheval soit bien soigné.

« Les petits lutins sortaient les chevaux la nuit pour se promener. Mais ils étaient trop petits pour aller à selle. Alors, ils mêlaient le crin, le tressaient pour en faire des *estorieux*[8] ;

---

[7] *Poigner* : prendre, saisir.
[8] *Estorieux* : étriers.

puis, ils sautaient sur le cou du cheval. Souvent, ils étaient deux, l'homme et la femme.

« Vers onze heures ou minuit, quand les gens de la maison étaient couchés, les lutins arrivaient. Ils entraient dans l'étable, bridaient le cheval, le sortaient dehors, puis là ça courait, ça galopait peut-être bien deux heures. Quand ils voyaient que le cheval avait chaud et qu'il allait se fatiguer, ils le remettaient dans l'étable. Ils le brossaient bien, lui donnaient de l'avoine et le faisaient boire. Un cheval soigné par les lutins se maintenait toujours beau et gras. »

......

« En arrivant à l'étable, un vieux garçon s'est aperçu un bon matin que son cheval était tout en nage. Les lutins l'avaient essuyé, mais il était encore en sueur. Il a examiné le crin et il a découvert des tresses. Les lutins se servaient donc de son cheval. Il allait y voir ! Le lendemain soir, il s'est caché dans son étable pour les surprendre. Ah ! vers minuit, en voilà deux qui arrivent, l'homme et la femme. Ils ont mis la bride au cheval. La femme lutin a monté la première sur le cou de la bête ; puis le mari a suivi. Là, le vieux garçon est sorti de sa cachette et leur a dit : "Ah ! je vous ai, mes deux lutins ! Comment se fait-il que vous soyez dans mon étable et que vous preniez mon cheval sans permission ?" Le mâle n'a rien dit ; c'est l'autre qui a parlé : "On a le droit, comme lutins, d'entrer dans n'importe quelle étable et de se servir d'un cheval pourvu qu'on n'y fasse aucun mal." Elle a ajouté : "Votre cheval est aussi gras, depuis qu'on s'en sert, qu'il était avant. Il est même plus gras. On ne le fait pas pâtir." "Oui, mais c'est mon bien, dit le vieux garçon ; vous allez finir par le faire maigrir. Et je ne veux plus vous voir ici. Descendez tout de suite et déguerpissez." Les lutins ont répondu avec fermeté : "On ne descend pas ! Oh, non ! On ne descend pas !" Saisissant une fourche à deux fourchons, il s'est avancé en disant : "Vous allez sortir ou bien je vais vous passer ma fourche au travers du corps !" Quand ils ont vu qu'il était décidé, ils sont partis en disant : "On sort ! Mais la porte de votre étable ne tiendra pas fermée de l'hiver !"

« Il n'a jamais pu tenir sa porte close comme avant, sur ses simples gonds et son loquet. Il était obligé d'accoter un gros poteau dessus pour qu'elle tienne fermée et encore, il a travaillé tout l'hiver sur sa porte. » [L. L.]

......

Après l'avoir battue au fléau, un homme avait recueilli une dizaine de poches d'avoine. Ensuite, au fur et à mesure qu'il en avait besoin, il la vidait dans un quart. Mais un jour, il s'est rendu compte que son avoine baissait de façon anormale. Il s'est informé auprès de ses enfants pour voir s'ils ne donnaient pas trop d'avoine aux animaux. Mais ceux-ci ne distribuaient que la ration ordinaire. Il a donc soupçonné les lutins et, un soir, il s'est caché dans son étable pour tâcher de les surprendre.

Tout à coup, deux petits lutins sont arrivés avec chacun une poche de toile qui contenait à peu près un gallon. Puis, ils se sont mis à parler : « Hier, on en a trop pris. C'était trop pesant à porter. Ce soir, on en mettra moins ; on a à aller loin ! » L'homme est alors sorti de sa cachette et leur a crié : « Ah ! je vous tiens, les gamins ! » Ils ont tout laissé là et voulaient prendre la fuite. Mais il gardait les yeux fixés sur eux. Ils ne peuvent pas s'enfuir aussi longtemps qu'on ne détourne pas la vue d'eux. Il leur a demandé, en colère :

— Pourquoi venez-vous voler mon avoine ? Qu'en faites-vous ?

— C'est pour nourrir un cheval.

— Qu'est-ce que vous faites avec ce cheval-là ?

— On se promène la nuit.

— Si vous voulez vous promener, allez chercher de l'avoine ailleurs qu'ici ; car si je vous reprends dans mon étable, vous aurez affaire à moi ! [A. G.]

......

« Si un cheval a le crin tressé par les lutins, il faut bien se garder de le lui couper, nous assure un informateur. Les lutins se fâchent et font *crever* le cheval. Les vieux étaient certains de ça.

« On avait chez nous une belle jument de neuf ans. On était fiers de cette bête-là. Mais elle avait le crin tressé. Moi, j'étais jeune homme ; je n'ai point fait cas de cette croyance des vieux. J'ai pris une paire de *forces*, puis je lui ai coupé le crin bien ras. On l'a perdue dans moins d'un an. Elle est tombée malade puis elle a *crevé*. » [L. L.]

......

De même qu'un lutin ne peut pas s'enfuir aussi longtemps que vous gardez les yeux sur lui, de même s'il renverse quelque chose, il ne peut pas s'en aller avant d'avoir tout ramassé.

Une fois, Eusarique Deraspe et son frère partaient tôt après minuit pour aller chercher du bois à Pointe-aux-Loups. Arrivés à l'étable pour atteler leur cheval, ils ont aperçu un lutin sur la crèche. Eusarique a voulu saisir une fourche pour le chasser, mais en détournant la vue, il a permis au lutin de déguerpir. Il a dit à son frère : « Il faut que je le *poigne* ! Et j'ai un plan ! »

Un autre soir, il a posé un plat rempli de cendres à l'entrée de son étable de telle façon que le lutin ne puisse pas ouvrir la porte sans le renverser. Et comme le lutin doit ramasser le tout, morceau par morceau, ou grain par grain, sans pouvoir arrêter avant d'avoir fini, Eusarique était certain de le prendre pendant la besogne. Le lendemain, il se rend vite à l'étable. Le plat avait été renversé, mais le lutin avait fini de ramasser la cendre et il était déjà parti. Eurasique s'est dit : « La prochaine fois, j'augmenterai la quantité. » Mais il a eu beau en remettre plusieurs soirs, le lutin n'est jamais revenu. Il avait peur de se faire prendre. [G. L.]

……

Les lutins sont des êtres espiègles de nature. Les deux légendes suivantes en sont une preuve de plus.

Un vieillard avait dans son étable un cheval qui, mal nourri, était loin d'être gras. Mais un jour, le cheval s'est mis à engraisser. Le propriétaire a dit à sa femme : « Je ne donne pas plus de nourriture à mon cheval que d'habitude et il engraisse. Ce sont donc les lutins qui le nourrissent. Il faut que je les attrape ! » « Tu n'es pas capable de *poigner* un lutin » lui a répondu son épouse.

— Non ? Tu vas voir !

— Comment vas-tu t'y prendre ?

— Je vais suspendre une bouteille pleine d'eau à la porte de l'étable à la hauteur de sa tête. Un lutin, c'est toujours pressé et il entre toujours vite dans l'étable. Il va se taper la tête sur la bouteille et rester là, assommé.

— Je doute fort que tu le *poignes* de cette façon.

De fait, un soir il est allé placer une bouteille et, vers minuit, il est retourné à l'étable. Il a entrebâillé la porte ; la bouteille était partie. Cachant son fanal derrière lui, il s'est avancé jusqu'à la crèche. Le lutin se trouvait là en train de faire boire le cheval avec la bouteille. « Qu'est-ce que tu fais là, lutin ? » Celui-ci a répondu : « Je fais boire ton cheval. Tu es trop paresseux pour le faire boire toi-même ! » [L. L.]

……

Damase Deraspe soupçonnait les lutins de tresser le crin de son cheval. Une nuit où il devait l'atteler pour aller aux dunes, il s'en va à l'étable et le trouve en écume, tout en sueur. Damase s'est fâché et il a crié : « Ah, lutin ! C'est toi ! Eh bien ! je vas couper le crin de mon cheval *raque, raque, raque*[9] ! » Il n'a pas vu le lutin, mais il l'a entendu répéter : « *raque, raque, raque* » ! [W. B.]

5. Les *marionnettes*[10]

« Les *marionnettes* sont des lances qui partent du firmament et qui s'en viennent sur la terre », nous explique le narrateur de la légende suivante.

« Une fois, deux jeunes gens s'en revenaient de veiller. Le ciel était plein de *marionnettes*. Arrivés près de chez eux, ils se sont arrêtés, puis ils ont dit : "Si on chantait des *reels* pour faire danser les *marionnettes* afin de voir ce qui arriverait ?" Aux airs de danse, celles-ci ont commencé à danser et à approcher. Et plus ils chantaient, plus elles approchaient. Quand ils s'en s'ont aperçus, ils étaient entourés par ces lances-là, et prisonniers. Impossible d'en sortir ! Ils étaient effrayés à mort. À la fin, on ne sait comment, avec des efforts et du temps, ils ont réussi à s'échapper puis à se rendre chez eux. Ils en avaient eu pour leurs frais et n'ont jamais plus parlé de chanter des *reels* aux *marionnettes*. » [L. L.]

......

Deux jeunes gens de Barachois étaient assis devant la porte de leur maison. L'un d'eux avait son violon. L'autre lui dit : « Depuis si longtemps qu'on entend dire qu'on peut faire danser les *marionnettes*, c'est le moment de l'essayer. » Le ciel en était couvert. Il a exécuté quelques airs de danse sur son violon et elles se sont mises à danser. Plus il jouait, plus elles dansaient et approchaient. À la fin, elles étaient tout près, au-dessus d'eux. Nos deux téméraires, pris de frayeur, sont entrés dans la maison. Il était temps, car les *marionnettes* leur passaient déjà *dans* le visage[11] ! [W. B.]

---

[9] *Raque* pour ras.

[10] *Marionnettes* : aurores boréales.

[11] Voir aussi *Le bâton fourchu dans les îles du grand golfe*, Éditions du Bien Public, 1957, p. 95.

6. Les revenants ou les morts

Dans les vieux pays où les légendes sont séculaires et millénaires, il est question de monstres marins, de dragons terrestres et d'autres êtres fabuleux qui remontent à la mythologie païenne de l'Europe, de la Grèce ou de l'Orient. Dans un pays comme le Canada fondé en pleine ère chrétienne, on ne rencontre guère de ces monstres gigantesques, si ce n'est dans les légendes d'origine indienne ou étrangère.

Mais la superstition est tenace au cœur de l'homme même chrétien et en pays chrétien. Comme les légendes se ressentent du milieu où elles prennent origine, celles qui sont nées dans les pays chrétiens s'échafaudent le plus souvent sur les croyances chrétiennes ou dans le contexte de ces croyances. Aux îles de la Madeleine, les revenants ou les morts constituent le sujet des plus nombreuses légendes.

Nous incluons ici toutes celles qui touchent aux défunts de quelque façon que ce soit.

A) *Les noyés*

Une croyance, d'ailleurs encore courante dans quelques familles aux Îles, voulait qu'un noyé, même après avoir passé huit jours dans l'eau, même s'il était tout défait, se mit à saigner du nez, de la bouche et des oreilles dès que quelqu'un de ses proches parents le touchait. On se servait de ce signe pour découvrir les siens parmi plusieurs noyés méconnaissables.

Vers 1890, le 23 août, une tempête avait fait cinq victimes sur la mer près de Pointe-aux-Loups. L'embarcation avait chaviré et tout l'équipage, quatre hommes et un mousse, s'était perdu. Le lendemain, on a retrouvé le corps du mousse sur le rivage. Quand son frère a voulu le prendre pour l'emporter chez lui, le mort s'est mis à saigner. Huit jours plus tard, les quatre autres corps sont venus à la côte et le même phénomène s'est produit pour eux quand les membres de leurs familles respectives les eurent touchés. [Mme A. L.]

……

Emmanuel Poirier s'était noyé la nuit du Samedi saint dans le naufrage du bateau *L'Espérance*. Durant toute cette nuit, son épouse vit une colombe se promener dans sa chambre. [Mme A. L.]

……

Un transport, probablement rempli d'Irlandais, s'était perdu à la pointe de l'est de l'île Brion. Récemment, la chaîne de ce bateau était encore visible. En voyant leur fin approcher, les passagers auraient chanté, avec foi, des cantiques religieux. Longtemps après, quand la mer était agitée par la tempête, on entendait des bruits de chaînes et des chants religieux, surtout le *Salve Regina*. Et sur la grève où le bateau s'était défait, on entendait, la nuit, le son du violon. [A. L.]

……

F. et B. trouvent à la côte le corps d'un noyé. Ils le tirent sur la dune. C'était un inconnu. Avec un canif, F., jeune étourdi, lui fait une entaille sur l'épaule pour voir s'il était gras, puis lui enlève son chandail qu'il endosse lui-même. Mais le soir, en s'en retournant chez lui, par un petit sentier, quelque chose l'accroche et un poids l'écrase en le serrant. Étant près de sa demeure, il a appelé son épouse qui a accouru avec une lumière. Aussitôt, l'être mystérieux qui l'assaillait a disparu. Mais le lendemain, F. a brûlé le chandail et est allé charitablement enterrer le corps du noyé. [S. D.]

……

D. avait trouvé à la côte le squelette d'un noyé. Il lui avait arraché deux dents pour les montrer à ses compagnons. « Malheureux ! lui dit son père. Il va t'apparaître ! » De fait, la nuit suivante fut épouvantable, remplie de cauchemars, de lumières aux fenêtres, de spectres et de bruits de toutes sortes. [S. D.]

……

John Marteau et deux autres hommes faisaient la pêche au maquereau à l'île Brion. La pêche terminée, ils sont partis tous trois pour s'en revenir à Havre-aux-Maisons. Ils devaient passer par la pointe de l'est des îles de la Madeleine. Arrivée vis-à-vis de Grande-Entrée, leur embarcation a chaviré et ils sont tous tombés à la mer. John flottait comme une bouée et il a essayé de hisser ses deux compagnons sur la barque renversée. Il a réussi à en tirer un, mais l'autre s'est noyé. Il a dit à celui qu'il avait sauvé : « Tiens-toi bien. Je vais nager à terre chercher du secours. » Il s'y est rendu et est revenu en chaloupe chercher le survivant.

Le noyé, John MacPhail, est demeuré longtemps dans l'eau avant d'être rejeté sur la rive par la mer. Quand on l'a trouvé, il était défiguré et il lui manquait une main. Un soir, un jeune homme, Élie Deraspe, revenait de la chasse au bassin aux Huîtres. Arrivé à l'endroit où le corps de MacPhail avait été trouvé, il aperçut une petite lumière. Il s'approcha pour voir ce que c'était. La lumière s'est mise à avancer et il l'a suivie. Elle s'est engagée dans un petit sentier de brebis le long du cap, puis s'est dirigée vers le rivage pour s'arrêter au bord de l'eau. La mer s'était retirée et la main du noyé se trouvait là. La lumière a disparu. [J. D.]

Le trou piailleur

Ceci se passait à l'époque de la chasse à la *vache marine*, alors que l'archipel n'était pas encore habité. Les chasseurs venaient en si grand nombre d'Europe, surtout de France et d'Angleterre, et ils faisaient de telles tueries qu'ils ont détruit la *vache marine* aux Îles.

Un jour, l'un de ces étrangers chassait près du trou piailleur actuel. Il a réussi à y faire monter deux *vaches marines*. Il en a tué une, mais il n'a pas eu le temps de tuer l'autre. C'est elle qui l'a attrapé et elle l'a fait tomber dans le trou avec son gabion. Dans sa chute, notre homme a lâché un cri de mort : « Haie ! Ha ! Hawe ! » Il s'est tué ou noyé. Depuis ce temps, avant les tempêtes qu'amène le sud-est, à l'automne surtout, on entend le même cri : « Haie ! Ha ! Hawe ! » Les gens disent alors : « Une tempête s'en vient. Écoutez le *piâlard* qui crie dans le cap. » C'est ce chasseur malheureux qui continue de faire entendre sa plainte. Et cette immense cuve aux murs abrupts a reçu le nom du trou *piâlard*, en langage populaire. [J. D.]

Une autre légende veut qu'un bateau français ait fait naufrage à cet endroit et que l'équipage ait cherché un abri dans ce trou. Plusieurs y moururent. Depuis lors, des plaintes montent de cette cavité chaque fois que le vent vient de l'est. [J. D.]

Le Néirichâque noyé

Dans l'histoire des îles de la Madeleine, de Paul Hubert, nous lisons qu'une goélette de Néirichâque[12], la *Marie-Louise*, s'est perdue corps et biens sur les côtes des Îles. Il fut un temps où les gens d'Arichat venaient en grand nombre pêcher dans les parages.

[12] Autrefois, les Acadiens prononçaient « Néirichâque » pour « Arichat », et ils disaient « un Néirichâque » pour désigner un homme de cet endroit.

La tradition veut qu'un jour, un de ces pêcheurs soit allé à la chasse à la Pointe de l'Est. Il a vu du gibier sur le lac de cette pointe de la Grande Échouerie. Il l'a tué ; mais il n'avait pas d'embarcation. Alors, il s'est déshabillé et s'est jeté à l'eau pour aller le chercher à la nage. Malheureusement, il s'est noyé. Longtemps après cette noyade, les chasseurs qui s'aventuraient dans cette région subissaient encore les vexations d'un revenant, du Néirichâque noyé.

......

Edwin Clark, d'Old-Harry, se vantait de n'avoir peur de rien. Or, un soir, au retour de la chasse, il s'arrête devant une cabane à cet endroit et s'assied sur un *billot*. Tout à coup, il aperçoit un homme sans tête assis à côté de lui. Clark lui parle. Pas de réponse. Il entre dans la cabane. L'homme sans tête se met à marcher tout autour. De l'intérieur, Clark entend les pas. Alors, après l'avoir averti de parler ou de s'en aller, il tire trois coups de fusil à travers les planches du côté du bruit des pas. Mais il continue d'entendre marcher. Alors, pris de peur pour de bon, il ouvre la porte de la cabane et se met à courir pour se rendre chez lui, où il s'évanouit en arrivant. Il en est mort. [J. D.]

......

Une autre variante de la même légende, semble-t-il, veut qu'il ait été à cheval. Ayant descendu à la cabane, il se serait assis sur le *billot*. Apercevant cet homme sans tête à l'autre bout, il lui a parlé. Pas de réponse. Alors, il lui a dit : « Parle ou je tire ! » Il avait entendu dire que si on voyait un mort et qu'on avait un fusil, il suffisait de tirer dessus pour le faire disparaître. Il a donc tiré. Mais, au coup, il a perdu connaissance. Quand il a repris ses sens, le fantôme avait disparu. Saisi par la peur il a sauté sur son cheval et a fui.

......

D'autres chasseurs ont entendu des bruits insolites dans leurs cabanes, ont vu des spectres épouvantables. L'un d'eux, assis lui aussi sur un *billot*, entend une voix qui lui demande de s'éloigner de là, car il se trouve sur la fosse du noyé. [Mme A. L.]

......

Et tout cela, dans l'imagination populaire, était mis sur le compte du Néirichâque. Mais des gens de Grande-Entrée affirment encore aujourd'hui que tous ces bruits étranges et tous ces fantômes et ces voix avaient comme origine l'astuce des Anglais de Grosse-Île qui voulaient garder pour eux seuls ce territoire de chasse et s'organisaient pour effrayer toute personne qui osait s'y aventurer. [E. A.]

La Butte-du-Nègre
Les informateurs ne s'entendent pas sur les fondements historiques de cette légende. Selon les uns, il s'agit d'un navire américain qui aurait coulé et dont tout l'équipage aurait péri. Les corps vinrent à la côte et on les enterra. Parmi eux se trouvait un « Nègre ». D'autres affirment que tout l'équipage était nègre ; ce qui n'est guère plausible. Enfin, quelques-uns soutiennent que seul un Noir noyé fut trouvé à la côte. L'unanimité est faite sur un point : un homme noir noyé fut trouvé à la côte vers 1870.

Comme c'était la coutume à cette époque, on l'enterra dans le *buttereau*[13] de sable adjacent et sans plus de formalités. Peu après, on commença à voir une lumière dans la nuit au-dessus du *buttereau* où l'homme noir avait reçu la sépulture. Par curiosité, des gens s'y rendirent dans le jour. Ils découvrirent le « Nègre » complètement déterré. Ils l'enterrèrent de nouveau. Pendant quelque temps, on ne vit plus la lumière mystérieuse. Mais, tout à coup, elle réapparut. On retourna sur les lieux et l'homme noir était encore à découvert. On l'enfouit de nouveau. Pendant trois ans, notre homme s'amusa ainsi à se déterrer pour se faire réenterrer chaque fois par nos braves Madelinots. À la fin, ceux-ci lui fabriquèrent un cercueil, le mirent dedans et l'enterrèrent plus profondément avec des pierres par-dessus. L'homme noir n'a plus osé revenir à la surface. Mais une atmosphère étrange a plané longtemps au-dessus de Buttereau-du-Nègre. En passant là, les chevaux prenaient peur ; les roues des charrettes se détachaient ; les *menoires*[14] cassaient. Et même en 1954, quand le gouvernement voulut construire la route qui relie la dune du sud à Pointe-aux-Loups, comme le tracé longeait le flanc de ce *buttereau*, on avertit les entrepreneurs : « Ne passez pas là. Vous ne réussirez jamais à construire un chemin sur la *Butte-du-Nègre*. C'est un endroit de malheur ! » On ne tint point compte du sage avertissement. Aussi, on dut reprendre ce tronçon de route

[13] *Buttereau* : butte de sable, appellation typique des îles de la Madeleine.
[14] *Menoires* : pièces de bois fixées à une voiture, auxquelles on attachait les chevaux.

par trois fois. Aussitôt construit, il se comblait de sable. Après trois échecs convaincants, on abandonna respectueusement le premier tracé pour faire passer la voie à quelque cent pieds du *buttereau*. Avec cette distance, le Noir jugea son honneur sauf, je suppose, et les tracas finirent là. [E. L.]

La raison de tout ce brouhaha de la part de ce noyé ? Une informatrice l'explique ainsi. « C'est qu'il était catholique et aurait dû être enterré dans un cimetière bénit. Et la preuve qu'il était catholique, c'est qu'on trouva sur lui un grand crucifix qui existe peut-être encore, car il fut longtemps la possession de Mme Honoré Deraspe. Je l'ai vu moi-même[15]. » [Mme M. M.]

B) *Apparitions et manifestations d'autres défunts*

Si les noyés occupent une large part dans les légendes qui ont trait aux défunts, cela s'explique par les nombreuses noyades enregistrées aux Îles depuis des siècles. Mais ils ne sont pas les seuls à avoir suscité des légendes. Voici d'autres morts et d'autres récits à leur sujet.

C'est une vieille Irlandaise qui venait de Cap-Breton. À son arrivée aux îles de la Madeleine, elle était mariée et avait plusieurs enfants. L'une de ses filles est tombée malade à l'âge de vingt ans et elle est morte. Naturellement, sa mère en a ressenti une grande peine et, par la suite, elle priait beaucoup pour l'âme de son enfant. Un soir qu'elle récitait son chapelet, elle a aperçu une boule blanche qui roulait dans la maison, qui tournait autour d'elle, qui montait au plafond et descendait. Puis, cet objet a commencé à grossir, à grossir. Il a pris la forme d'une femme avec une grande robe blanche qui est venue s'agenouiller à côté de sa mère. « Maman, a-t-elle dit, vous pouvez continuer à prier si vous voulez..., pour d'autres. Ne soyez pas inquiète de mon sort. Je suis au ciel ! » Puis elle disparut. [E. L.]

......

La grand-mère de Léger C. LeBlanc avait perdu deux filles de sept ou huit ans. Un jour, elle était malade. C'était un dimanche après-midi et bien qu'alitée, elle était seule à la maison. Mais elle ne dormait pas ; elle priait. Tout à coup, elle a vu entrer deux petites filles habillées en blanc qui sont passées l'une l'autre de chaque côté de son lit. Elles se sont mises à genoux

[15] Voir aussi *Le bâton fourchu dans les îles du grand golfe*, Éditions du Bien Public, 1957, p. 91-92.

et ont récité le *Notre Père* et le *Je vous salue Marie*. Ensuite, elles se sont levées et sont ressorties par la porte. [L. L.]

......

Deux jeunes gens des Îles étaient grands amis et on les voyait toujours ensemble. Un jour, dans un mauvais tour qu'ils jouent à un voisin, ils cassent la patte de son cheval. La bête dut être abattue. Nos deux copains n'ont pas soufflé mot et n'ont point dédommagé non plus le propriétaire. Mais peu de temps après cet incident, l'un des deux amis est mort. Il n'a pas pu entrer au ciel avec cette injustice sur la conscience. Aussi, un soir que son compagnon revenait chez lui de L'Étang-du-Nord, il lui est apparu et lui a dit : « Te rends-tu responsable du tort causé à notre voisin par la perte de son cheval ? » Le vivant a répondu : « Sois tranquille. Je me charge de rembourser notre voisin pour tous les dommages que nous lui avons faits. » Le mort a disparu à l'instant. [A. G.]

......

Deux voisins avaient une clôture qui séparait leurs terres et servait de ligne entre les deux. L'un était pauvre, l'autre, riche.

Tous les printemps, ils érigeaient chacun une partie de la clôture. Mais le riche commençait toujours le premier et, rongé par la cupidité, déplaçait la clôture du côté du pauvre. Il grugeait ainsi la terre du pauvre d'un bon pied et demi chaque année. Au bout de cinq ou six ans, il en avait soutiré un joli morceau. Mais un jour, il est tombé malade et il est mort sans avoir réparé son injustice.

Quelques semaines après le décès, un soir, le voisin pauvre a voulu regarder dehors et qu'est-ce qu'il a aperçu ? Un homme qui marchait sur la première ligne entre les deux terres. Il est sorti pour voir ce que c'était. L'inconnu tenait un gros piquet de clôture dans ses mains et, de temps en temps, il le levait à bout de bras et criait : « Où le mettrai-je ? » Il marchait encore et répétait le même geste et les mêmes paroles : « Où le mettrai-je ? » En agissant ainsi, il montait et redescendait la ligne. Cela dura une grosse heure puis tout disparut. Le même phénomène recommença le lendemain soir et les autres soirs de même.

Le pauvre commençait à avoir peur. Il croyait que c'était le diable qui parlait de venir le chercher et qui se demandait : « Où le mettrai-je ? » Mais un jour arrive là un ami moins naïf et moins peureux à qui on raconta l'histoire. « Je vais demeurer ici ce soir, dit-il. Je souhaite qu'il revienne. Je vais m'en charger, moi ! » Vers minuit, ils étaient dehors en train de faire le guet quand, tout à coup, ils ont aperçu le fantôme qui accomplissait le même rituel. « Voilà le moment ! dit l'ami. Reste ici, toi. Je vais y aller tout seul. » Quand il est arrivé à sept ou huit pieds de l'homme insolite, celui-ci levait son piquet en répétant : « Où le mettrai-je ? » Il lui a crié : « Mets-le où tu l'as pris, voleur ! puis fiche le camp ! » Braou ! le fantôme a planté le poteau dans la terre et a disparu.

Revenu à la maison, l'ami dit au pauvre : « Mets ta clôture sur la première ligne. Il voulait te rendre ta terre. » [L. L.]

......

« Une fois, nous raconte un vieillard, mon père, accompagné d'un de mes frères et d'un voisin, avait été pêcher des *coques* vers Pointe-aux-Loups, tout près de la *Butte-du-Nègre*.

« Mon père, qui était un grand fumeur, avait apporté sa pipe et du tabac mais il avait oublié ses allumettes. Quand ils eurent pêché des *coques* pendant une demi-heure, ils revinrent à la charrette où ils avaient laissé le cheval manger. Mais mon père aurait voulu fumer. Tout à coup, ils ont aperçu un homme à un quart de mille sur la dune. Mon père a dit à ses compagnons : « Restez ici ; je vais aller demander des allumettes à cet homme-là. » Celui-ci ne paraissait pas bien loin. Mon père est parti ; mais parce qu'il regardait où poser les pieds pour ne pas trébucher sur les obstacles, il n'observait pas l'homme qu'il allait rencontrer. Ce n'est qu'arrivé à une brasse de lui qu'il a levé la tête pour lui demander des allumettes. C'est alors qu'il s'est aperçu que cet homme avait comme une brume devant le visage qui lui voilait les traits. Mon père a été saisi. Il s'est rendu compte que ce n'était pas un vivant, et il n'a pas parlé. Il a remarqué que cet inconnu était revêtu d'une chemise rayée rouge et noir, et qu'il portait sur ses épaules un pic sur lequel reposait un gilet. Mon père s'en est revenu à la charrette. Les deux jeunes gens lui ont demandé : « Vous a-t-il donné des allumettes ? » Mon père a répondu : « Il n'en avait pas. » Il n'a pas voulu en dire davantage.

« Plus tard, il est allé consulter M. Des Finances. Celui-ci l'a blâmé de ne pas avoir parlé au défunt.

— Si cela arrivait encore, je vous ordonne de lui adresser la parole. Lui ne pouvait pas communiquer le premier. C'était à vous de le faire. Il ne pouvait vous causer aucun mal.

— Je sais, a répondu mon père. Mais la prestance du mort effraie le vivant.

— La prochaine fois, prenez bien soin de parler le premier, a insisté le prêtre. C'est lui qui avait besoin de vous. » [L. L.]

......

Un homme meurt. Il avait été dur en affaires et, de ce fait, n'était pas aimé des gens. C'était un étranger, c'est-à-dire qu'il n'était pas un Acadien des Îles. À son enterrement, au cimetière, une de ses victimes, sans doute, osa prononcer ces paroles : « Le vieux maudit ! Avec la terre qu'il a sur lui maintenant, on en est bien débarrassé ! » Mais pas longtemps après, une nuit, l'homme qui avait ainsi parlé longeait le cimetière en voiture. Tout à coup, il a vu un fantôme apparaître sur le chemin devant lui et arrêter le cheval. Et là, il a entendu prononcer très fort les mêmes mots qu'il avait proférés à l'enterrement. Puis, le fantôme a disparu et le cheval a repris sa marche. Mais tout le long du cimetière, les mêmes paroles se répétaient et se répercutaient. [Mme V. B.]

......

Un homme de L'Étang-du-Nord pêchait en goélette à l'île Brion. C'était une belle journée. Tout à coup, il a vu venir du côté de Grosse-Île un cheval et une voiture à quatre roues. Tout l'attelage filait sur l'eau comme s'il avait été sur la terre ferme. Le cheval s'en venait au grand trot. Comme la voiture approchait, le pêcheur distinguait un homme dedans. Quand elle arriva vis-à-vis de la goélette, elle s'arrêta. Le pêcheur cria :

— Where are you from?

— From St. John, répondit l'homme fantôme.

— Where are you going?

— Going to Hell! fut la réponse.

Le jour même, cet homme était mort à Saint-Jean[16]. [L. L.]

......

Hubert Thériault était reconnu pour sa grande charité et sa dévotion envers les âmes du purgatoire. Il multipliait prières et

[16] Cette légende existe aussi à Chéticamp.

communions pour leur venir en aide. Un jour qu'il longeait le cimetière en revenant de la pêche, il entend une voix qui montait et qui semblait dire : « Ô Clément ! Ô Clément ! » Et lui de répondre : « Je ne m'appelle pas Clément ! » Il se rend tout de suite au presbytère voir le père Turbide. Celui-ci lui dit : « Ce n'est pas *ô Clément* ! que vous avez entendu, mais *ô clémence* ! » [G. L.]

……

Un homme était veuf depuis plusieurs années. Un Mardi gras, il s'en va veiller au Barachois et danse toute la nuit. En revenant, rendu au cimetière, il trouve sa route barrée par des milliers de petits êtres à forme humaine. Il essaie de passer du côté de la mer ; mais ils étaient là aussi qui l'empêchaient d'avancer. Après de multiples tentatives infructueuses, qui durèrent des heures, il réussit à échapper par le *cléon*[17] de Télesphore Turbide. [Mme V. B.]

……

Une légende veut qu'un homme ait été enterré sur le faîte de la Butte-des-Vents. C'était un marin qui aurait été assassiné sur son navire et enterré ici par l'équipage. Cet homme avait un chien à bord du bateau qui suivit le corps de son maître et ne voulut pas l'abandonner. Se couchant sur la fosse, il prit la résolution de la surveiller et de la défendre jusqu'à la fin des temps. Cela arriva bien avant que les Îles fussent habitées. Or, un siècle après l'arrivée des Madelinots, le chien était encore là, pourchassant sans relâche tous ceux qui osaient s'aventurer sur la Butte-des-Vents. [J. L.]

……

C'était le jour des Morts. Le prêtre avait célébré sa messe et sortait de la sacristie avec son servant pour s'en retourner au presbytère. Mais dehors, il s'est rendu compte que l'enfant ne voulait pas avancer, qu'il semblait chercher où poser ses pieds. Le prêtre lui a demandé ce qu'il avait. Le petit servant lui a répondu : « Je ne peux pas marcher. Le sol est couvert de morts. Il faudrait que je marche dessus pour passer. » Le prêtre lui a dit : « Retournons à la sacristie. » Ils sont rentrés et ils ont prié longtemps. Quand ils sont sortis de nouveau, le servant n'a plus rien vu. [J. L.]

---

[17] *Cléon* : petite barrière pour piétons.

......

Le jour de la Toussaint, dans l'après-midi, à peu près à l'heure des vêpres des morts, Martin LeBlanc de la Belle Anse était seul à la maison. Il était assis sur le bord de son lit et ne dormait pas. Tout à coup, il a entendu une voix chanter : « *Laudate Dominum omnes gentes.* » Lui, il a répondu avec l'autre verset. Puis, il s'est levé tout de suite pour aller voir dehors si quelqu'un n'arrivait pas. Il n'y avait personne. « Il a toujours cru que c'était une voix de l'Au-Delà », nous dit son fils. [J. L]

C) *Cris mystérieux d'enfants*
Dans la sacristie de l'église de La Vernière, une quinzaine de personnes attendaient le curé, Mgr Blaquière, pour se confesser. Dehors, il faisait mauvais temps, et le curé, ayant répondu à un appel de malade, tardait à revenir.

Tout à coup, on a commencé à entendre dans l'église un enfant pleurer à fendre l'âme. Deux femmes ont quitté leur place à la sacristie pour aller se rendre compte de ce qui se passait. Elles n'ont rien vu, mais elles entendaient encore mieux les cris déchirants de l'enfant. Toutes ces personnes se sont mises à chuchoter entre elles : « Qu'est-ce que c'est que ça ? Et il n'y a rien dans l'église ! » La peur s'emparait de tout le groupe quand le curé est entré. Il s'est préparé comme d'habitude à confesser ces gens. Tout à coup, il a entendu lui aussi… Il a hésité un peu ; il a prêté une oreille plus attentive… Il est allé dans l'église, puis il est revenu dire au groupe : « Venez avec moi. » Les gens l'ont suivi. Il s'est mis à prier en arpentant l'allée centrale, de la balustrade aux portes de l'église et des portes à la balustrade. Il disait aux autres avec insistance : « Priez, priez avec moi ! » Ce manège a duré de huit à dix minutes, puis les pleurs ont cessé. Le groupe est retourné à la sacristie et le curé a confessé tout le monde. On n'a plus rien entendu. [W. B.]

......

C'était à Fatima, du côté de la baie du Cap Vert, par un soir brumeux du mois d'avril. Deux Madelinots veillaient chez un ami. Vers dix heures, ils sont sortis pour s'en aller. En quittant la maison, ils ont commencé à entendre un enfant pleurer dans les champs, à une centaine de verges d'eux. Ils ont dit : « On va aller voir ce que c'est. » Mais, arrivés à l'endroit d'où semblaient venir les gémissements, ils les entendaient encore aussi éloignés

qu'avant, mais dans une autre direction. Ils se sont précipités de ce côté. Rendus là, les plaintes venaient d'ailleurs, toujours à une même distance. Étonnés, ils ont encore couru. Mais cette fois, les lamentations montaient du chemin du Cap Vert à une distance toujours égale. Alors, ils se sont rendu compte que c'était mystérieux, qu'ils pourraient courir vainement toute la nuit. Ils ont décidé de s'en aller chez eux.

Les vieux et les vieilles de la région n'étaient pas surpris de ce phénomène. Ils savaient que dans ce champ avait été enterré un enfant mort sans baptême et que, depuis, un feu mystérieux apparaissait souvent la nuit. [W. B.]

7. Les sirènes

Emmanuel Longueépée pêchait aux cages[18] sur les fonds de Grande-Entrée. Il était seul dans son embarcation et il n'y avait pas d'autres pêcheurs sur l'eau. C'était une belle journée claire, où l'on voyait très loin. Tout à coup, il a entendu une voix merveilleuse chanter. Il a regardé partout et rien n'était en vue. Selon lui, il s'agissait d'une sirène. [J. L.]

……

Une goélette était au large. L'ancre était jetée et l'équipage commençait à pêcher. À un moment donné, ils ont vu émerger une sirène qui leur dit : « Éloignez-vous. Vous vous trouvez au-dessus de notre église et nous avons un office religieux que vos lignes dérangent. En plus, votre ancre bloque la porte d'entrée. » [J. L.]

……

Une autre fois, sur un fond de pêche encore, une petite sirène s'amusait à enfiler le câble de l'ancre. Elle montait, sortait de l'eau puis replongeait pour descendre dans les profondeurs. Ce jeu durait depuis quelque temps quand les pêcheurs ont vu émerger une grosse sirène qui a donné une claque à la petite en lui disant : « Laisse les pêcheurs tranquilles », puis elles ont disparu vers le fond. [J. L.]

……

[18] Pêche au homard.

Une autre fois, dans les mêmes circonstances, une sirène est venue sur l'eau à travers les lignes des pêcheurs. Elle s'est avancée jusqu'à l'embarcation sur le bord de laquelle elle s'est accoudée, puis elle a dit : « Ramassez vos lignes. Une grosse tempête s'en vient. » Ils l'ont écoutée et se sont sauvés. À peine étaient-ils rendus à terre que la tempête a éclaté. [J. D.]

......

C'était sur la mer Rouge. Il y avait trois embarcations à la pêche pas bien loin l'une de l'autre. Bientôt, les pêcheurs ont aperçu une sirène qui nageait à une allure vertigineuse, poursuivie par un gros poisson. Elle s'est approchée des bateaux et elle est venue sourdre juste à côté de l'un deux, faisant des signes de détresse comme si elle demandait quelque chose. L'équipage n'en a pas fait cas. Alors, elle s'est dirigée à toute vitesse vers un autre bateau où elle a répété les mêmes gestes désespérés. Cet équipage ne s'en est pas occupé non plus. Là, elle s'est élancée vers le troisième et elle a recommencé ses supplications. Le capitaine, compréhensif, lui a lancé un couteau. Elle l'a attrapé, puis elle a plongé. Quelques minutes plus tard, une large mare de sang est apparue à la surface de l'eau. La sirène est réapparue près du dernier bateau et elle a lancé le couteau sur le pont. Elle a remercié le capitaine, puis elle a ajouté : « Sauvez-vous tout de suite, car nous allons avoir une tempête épouvantable. » L'équipage a monté les lignes, viré les voiles et s'est dirigé en vitesse vers la côte. Quand la tempête a frappé, les pêcheurs étaient déjà à l'abri. Mais les deux autres bateaux se sont perdus. [J. D.]

8. Les trésors cachés

Les légendes des trésors cachés sont très répandues partout aux Maritimes, mais aux Îles elles ont trouvé un milieu des plus propices.

Avant d'être habitées, les îles de la Madeleine, perdues au milieu du golfe, étaient un repaire idéal pour les pirates. Ces derniers transportaient sur leur bateau toute leur fortune, qui consistait souvent en barils remplis de pièces sonnantes. Ces forbans menaient une vie périlleuse et devenaient souvent eux-mêmes victimes d'autres pirates. Aussi, avant d'entreprendre des missions trop dangereuses, ou quand ils se sentaient poursuivis par des navires mieux armés que le leur, se dépêchaient-ils de cacher leurs richesses en quelque endroit retiré où ils pourraient revenir les prendre une fois le danger passé. Ils n'y allaient pas de main morte. Il fallait que le trésor fût gardé jusqu'à leur retour. Ils tiraient donc au sort pour déterminer lequel d'entre eux veillerait sur le dépôt. On coupait le cou à celui que le sort désignait et on l'enterrait avec le bien qu'il avait mission de garder. Par ce geste, le gardien et l'argent caché étaient voués au diable ni plus ni moins. Si d'autres venaient pour enlever le magot, le gardien, avec l'aide du diable sans doute, devait leur donner une frousse capable de les faire déguerpir sans avoir rien dérobé. Aujourd'hui encore, si les chercheurs ont la hardiesse de creuser pour trouver l'un de ces trésors, toutes sortes de phénomènes terrifiants se produisent : c'est l'apparition de fauves, d'hommes sans tête, une senteur de soufre insupportable, etc. Mais ce ne sont que des apparences menaçantes car, en réalité, le gardien et le diable, s'ils s'en mêlent, ne peuvent faire de mal à personne, à une condition : c'est que celui qui lève le trésor en lance une poignée à Satan avant d'emporter le reste chez lui. Enfin, pour le succès de l'opération, le creusage doit commencer à minuit sonnant et s'effectuer dans un silence absolu. Si quelqu'un a le malheur de parler, le trésor se déplace et s'enfonce davantage. Telle est, ou plutôt telle était, la croyance populaire.

Aux îles de la Madeleine, selon la légende, bien des trésors ont été ainsi enfouis sous terre par des corsaires, qui n'ont jamais pu revenir les chercher. Ils sont encore là ; leur gardien aussi.

Mentionnons d'abord une légende qui est répandue dans les Maritimes et qui est courante aux Îles.

Une fois, un petit garçon s'était égaré dans la forêt le long de la mer. Tout à coup, il a vu venir vers la côte un bateau corsaire. Il s'est caché de façon à pouvoir le surveiller sans être vu. Les pirates sont descendus à terre avec un trésor dans un coffret en cuivre. Ils se sont avancés dans la forêt et arrêtés tout près de la cachette du petit gars. Celui-ci les voyait et pouvait facilement les entendre. Ils ont creusé un trou au pied d'un gros arbre et y ont enfoui le magot. Ensuite, ils ont tiré à la courte paille pour savoir qui allait le garder. Celui sur qui le sort tomba fut aussitôt décapité et enterré avec le coffret. Puis, le chef dit aux autres : « Désormais, quand le coq labourera et que la poule hersera, le trésor pourra être *levé*. »

Le petit gars avait tout vu, tout entendu et il avait retenu ce que le chef avait dit. Quand le bateau fut parti, il sortit de sa cachette et se mit de nouveau à la recherche de son chemin qu'il finit par retrouver. Il ne souffla mot à personne de son secret, qu'il garda pour lui seul pendant quelques années. Parvenu à l'âge de dix-sept ou dix-huit ans, il en fit part à quelques compagnons sûrs, et ensemble ils décidèrent de tenter de *lever* le trésor. Il n'avait point oublié les paroles du chef des pirates. Ils ont donc fabriqué une charrue en bois et une herse assez légères pour être tirées par un coq ou une poule. Ils ont attelé un coq à la charrue et l'ont fait labourer dans du sable, puis ils ont fait herser par la poule cette portion labourée. Ensuite, ils sont partis vers la forêt où l'argent avait été caché. Ils ont trouvé l'endroit facilement et *levé* le trésor sans difficulté. [W. B.]

......

L'un des trésors cachés les plus célèbres aux îles de la Madeleine est certainement celui du ruisseau de la Butte Ronde dans la paroisse de Havre-aux-Maisons.

Un Bourque, de Barachois, avait déménagé sur la Côte-Nord avec sa famille. Un jour, il rencontra un étranger et, dans la conversation, lui dit qu'il venait des îles de la Madeleine. « Des îles de la Madeleine ! reprit l'étranger. Savez-vous, Monsieur, que dans votre archipel, il se trouve une montagne sur le faîte de laquelle on peut voir sept îles ? Eh bien ! dans le flanc de cette montagne, du côté nord, il y a un trésor enterré qui pourrait enrichir les Îles dix fois ! Il a été caché là au temps des pirates. »

Une autre fois, des goélettes de pêche se trouvaient au large des trois pierres de Havre-aux-Maisons. L'une d'elles était américaine. Comme sur cette dernière un descendant des Îles, un cousin de Cécile Fougère, était membre de l'équipage, des pêcheurs madelinots se sont rendus à bord lui faire une visite. Et lui aussi leur a dit : « Du côté de Havre-aux-Maisons, à la grosse Butte Ronde que vous voyez là, il y a un trésor enfoui depuis longtemps. Pour le trouver, il faut filer le ruisseau qui coule au pied de la butte et, à un endroit donné, à trois longueurs d'avirons de doris, le trésor se trouve dans la pente. »

La tradition ou la légende veut que le capitaine des pirates ait fait son testament avant de mourir, et désigné l'endroit où il avait caché ce trésor. Tous les détails donnés semblaient bien indiquer la Butte Ronde de Havre-aux-Maisons. Il y aurait là quatre barils d'or et d'argent enfouis sous terre. Deux rames en forme de croix auraient été placées comme point de repère. D'aucuns disent que, pour ce trésor comme pour les autres, un membre de l'équipage aurait été tué et enterré là comme gardien.

Il y eut des fouilles dans le passé. On aurait même trouvé les avirons et un écriteau. Mais les lettres étaient tellement effacées qu'on ne put rien comprendre. [W. B.]

......

En 1910, un Américain, Clary Tidmarsh, travaillait aux îles de la Madeleine comme directeur de la compagnie Portland Packing. Un jour, il reçut un journal qui contenait un croquis d'un coin des Îles où un trésor avait été caché. Il s'agissait d'une montagne de laquelle on pouvait contempler sept îles environnantes. L'esquisse avait été tracée sur son lit de mort par le cuisinier du navire dont l'équipage avait caché cet argent. « L'Américain croyait qu'il s'agissait de la Butte du Marconi, à Cap-aux-Meules ; mais il semble bien qu'il était encore question de la Butte Ronde, de Havre-aux-Maisons », affirme notre informateur. [N. A.]

......

Vers 1900, un jeune homme d'une quinzaine d'années rêve une nuit à un trésor caché sur l'île Rouge, à Grosse-Île. Il le voit si bien, l'endroit lui est indiqué avec une telle précision qu'il aurait pu se diriger tout droit dessus sans hésitation aucune.

Le lendemain matin, il n'a que son rêve en tête et se rend chez un voisin, Vital Cormier, qui possède un bateau, pour lui demander de le conduire à l'île Rouge chercher le trésor. Le voisin ne le prend pas au sérieux. D'ailleurs, son bateau est à sec et la mer est basse. Le jeune homme se morfond. Il insiste de toutes ses forces et obtient cette concession : « On ira demain. » Mais c'est le jour même qu'il veut s'y rendre. Le voisin demeure inflexible : « On ira demain ! »

Toute la journée, le jeune homme trépigne et se fait du *mauvais sang*. Le lendemain, au petit jour, il est rendu chez le voisin. La mer est haute ; le bateau est à flot et ils partent vers l'île. Mais, arrivé à quelques centaines de verges de la côte, le garçonnet, qui mange l'île des yeux, dit : « Inutile d'aller plus loin. Le trésor est parti. Regardez le trou et voyez les traces à la côte. Il est parti ! » Le voisin, visiblement mortifié, reprend :

« Rendons-nous sur les lieux quand même. On ne sait jamais… Il reste peut-être quelque chose. »

Ils descendent à terre, montent sur le cap et là, dans la pente du côté sud, un trou fraîchement creusé… Alentour, des douves pourries et des cerceaux de fer. L'argent était sans doute contenu dans un récipient en fer ou en cuivre déposé dans un baril à farine. Du trésor, il ne restait plus rien. Des Américains étaient venus le *lever* dans la nuit. « Des témoins encore vivants ont vu le trou du trésor de l'île Rouge » nous assure le narrateur. [J. D.]

……

Alex Bourque, anciennement de Havre-Saint-Pierre, disait à Édouard Noël qu'un jour, trois hommes étaient descendus d'un bateau cacher un trésor sur la butte du Cap Vert, au Barachois. Ils l'avaient enterré au pied d'un bouleau et recouvert d'une grande pierre comme point de repère. Est-ce que là aussi on décapita un homme pour l'enfouir comme gardien du dépôt ? Des gens sont portés à le croire puisque, sur cette butte, on a vu longtemps un feu qui roulait comme un tonneau, du chemin pavé actuel jusqu'au cap.

……

À la Pointe de l'Est, près de la Grande Échouerie, trois bateaux français chassaient la *vache marine*. Ils possédaient à leur bord un baril rempli d'or. Surpris par des bateaux anglais, ils eurent le temps d'enterrer leur trésor en cet endroit avant d'être faits prisonniers. Il y serait encore. [J. D.]

……

Dans l'île Rouge, Havre-aux-Maisons, un certain Pierre B., selon la légende, aurait déterré un magot d'argent. Le père de l'abbé Isaac Thériault en aurait découvert un autre dans l'île aux Cochons, voisine de l'île Rouge. De pauvres qu'ils étaient tous les deux, ils seraient devenus assez riches, le premier pour aller mener une belle vie ailleurs et l'autre, pour faire instruire tous ses enfants. Un trésor caché sur le banc de Havre-Aubert fut *levé* par un navire étranger durant une guerre d'autrefois. Enfin, on mentionne qu'un trésor existe encore dans la dune du Bassin.

……

Le lieu par excellence des trésors cachés est une île inhabitée, Brion. Chaque année, plusieurs pêcheurs, Madelinots et autres, venaient passer une partie de l'été en cet endroit pour faire la pêche sur les fonds poissonneux qui l'entourent. Le soir et les jours de *débauche*[19], ces hommes n'avaient rien d'autre à faire que de conter des histoires et d'en inventer de toutes pièces qui sont devenues des légendes.

Hippolyte Gaudet, une nuit, rêve d'un *billot* au Sand Bar sous lequel se trouve un trésor. Dès le matin, il se dépêche de se rendre sur les lieux et trouve tout, tel qu'il l'avait vu en rêve. Aussitôt, il se met à creuser pour chercher le trésor. Tout à coup, ô stupeur ! il aperçoit le *billot* qui se tord comme un serpent ! Saisi de peur, il déguerpit. Mais il revient avec des compagnons et, ensemble, ils recommencent les fouilles. Alors, une odeur suffocante de soufre se dégage, devient insupportable et les chasse. Arrivés sur le cap, à une distance de quelque cent pieds, ils s'arrêtent et s'assoient pour contempler cette scène étrange ; et qu'est-ce qu'ils voient ? Des petits hommes sans tête qui, tout agités, courent sur le *billot* et lèvent les bras en l'air en signe de protestation. [A. L.]

……

Au nord-ouest de l'île Brion se trouve la butte de l'Homme Mort, *Dead Man's Hill*. Le nom lui-même comporte une légende. Autrefois, un navire se serait échoué à la côte sur un banc de sable. Forcé de l'abandonner à son sort, l'équipage s'occupa de sauver le plus d'effets possible. Tandis qu'on procédait à cette opération, un des hommes s'offrit à escalader la plus haute montagne de l'île pour faire la sentinelle et signaler les navires qui pourraient passer. Il apporta la cloche du bateau avec lui pour la sonner s'il apercevait une voile. Il ne redescendit jamais. Il fut trouvé mort au pied d'un arbre. Et la cloche, attachée à une branche, agitée par le vent, tintait tristement son glas funèbre. [A. L.]

……

Le sol de la butte de l'Homme Mort recèle aussi un ancien dépôt d'argent ; mais il est si bien gardé qu'autrefois, les gens craignaient de passer sur ce terrain. L'idée de ce trésor hantait

[19] Jours où le mauvais temps empêche d'aller en mer.

quand même l'esprit des pêcheurs. Un jour, un certain P. LeBlanc, surmontant cette crainte générale, eut la hardiesse d'aller y opérer des fouilles. Il eut la peur de sa vie. Un bruit infernal se mit à se faire entendre au-dessus de sa tête et, sous ses pieds, la terre tremblait, bouleversée, agitée, menaçant de l'engloutir.

D'autres pêcheurs voulurent tenter leur chance. Ils se rendirent donc sur les lieux et se mirent à creuser un trou au point stratégique. À quelques pieds sous terre, ils découvrirent des ossements et des cheveux[20]. Ils pensaient tenir le trésor quand, tout à coup, ils aperçurent, au-dessus d'eux, perché sur un arbre, un énorme oiseau de proie aux couleurs sombres, qui les regardait avec des yeux fixes et menaçants. Croyant à une vision diabolique, les chercheurs s'enfuirent à toutes jambes. [N. A.]

......

Durant les journées de *débauche*, les pêcheurs aimaient à se promener sur l'île Brion, qui, paraît-il, est l'une des plus belles de tout l'archipel.

Un jour, P. LeBlanc aperçut, à demi dégagé du sol, un couvercle de tonneau portant une inscription. Il continua sa marche sans penser à rien, sans s'arrêter pour lire l'écriteau ou lever le couvercle. Mais après une trentaine de pas, il eut l'idée que cela pouvait peut-être cacher un trésor. Il rebroussa chemin et revint au tonneau. Il n'y avait plus rien. Tout avait disparu. Il a cherché pendant plusieurs heures sans rien trouver. [N. A.]

......

Nelson Arseneault se promenait dans le bois. En traversant un petit ravin, il remarque par terre un couvercle de quart en fer avec une barre rouillée dessus. Il n'y prêtre aucune attention et continue sa route. Il avance à peine de cinquante pieds et, tout à coup, pense au trésor. Il revient sur ses pas jusqu'au ravin. Il n'a jamais rien pu trouver. Il a pris des mesures, repassé tout le terrain, pied par pied, mais en vain. [N. A.]

......

Un autre pêcheur, ayant aperçu le même tonneau, voulut lever le couvercle. Un cri serait sorti du dessous et notre homme se sauva en vitesse. [N. A.]

---

[20] « C'étaient probablement des ossements et de la laine de brebis », nous dit un informateur avisé.

……

Sur la pointe du nord-est de l'Île, une pierre plate émergeait de la pelouse. Tous les pêcheurs l'avaient vue, mais personne n'avait pensé qu'elle pouvait couvrir un trésor. À cette époque, un certain nombre d'Acadiens d'Arichat venaient pêcher sur les fonds des Îles. Un groupe d'entre eux[21] aurait soulevé la pierre et découvert une fortune. L'année suivante, au lieu d'un bateau qu'ils avaient auparavant, ils en possédaient six. Et les pêcheurs madelinots virent le trou laissé par le baril enlevé sous la pierre. [N. A.]

……

À Carassol (?), à Sept-Îles, il y avait un trésor caché au pied d'un cap. Mais il était férocement gardé. Quand des gens, comme Thonis Chiasson des îles de la Madeleine, osèrent y entreprendre des fouilles, ils virent fondre sur eux des animaux apocalyptiques qui semblaient vouloir les dévorer. S'ils persévéraient à creuser, la mer montait de façon étrange, anormale, et les chassait. [W. B.]

……

En 1902, à Pointe-aux-Esquimaux, une veuve vivait seule dans sa maison. Un bon jour arriva un navire américain. L'équipage descendit à terre et vint voir cette dame. Ces hommes avaient avec eux un vieillard à barbe blanche qu'ils portaient sur un brancard. Ils demandèrent à la veuve de leur prêter sa maison pour une nuit. Ils offrirent de la payer grassement d'avance et s'engagèrent à ne rien déranger dans sa demeure. Devant une proposition aussi alléchante, la femme, qui n'était pas riche, accepta. Le lendemain, quand elle revint chez elle, le bateau était parti. Elle a regardé partout dans la maison ; tout était en ordre. Mais durant la journée, elle eut à descendre à la cave. Elle découvrit un gros trou en forme de baril dans une des parois du sous-sol. Le trésor y avait été enterré autrefois, bien avant que la maison fût bâtie. Le vieillard était l'ancien capitaine de navire qui avait caché le trésor à cet endroit, et il était revenu avec un groupe le reprendre. [W. B.]

[21] Des membres d'une famille Poirier, dit-on.

Les îles de la Madeleine

Archipel de douze îles
Posé au milieu du golfe Saint-Laurent
Comme une constellation tombée des cieux.
Plages immenses, à perte de vue,
Douces collines appelées Demoiselles,
Caps abrupts déchiquetés par la mer,
Paysages de rêves qui changent d'aspect
À toute heure et en toutes saisons.
Noms pittoresques de lieux
Qui chantent comme une poésie :
L'île Brion, la Belle Anse, l'Échouerie,
Le Cap Vert, la Butte du Vent, et tant d'autres.
Population sympathique, hospitalière, humaine,
Qui sait encore chanter ses gais refrains,
Conter des histoires et jouer du violon.
Pays enchanteur, pays de légendes,
Qu'on laisse à regret, où l'on veut revenir.

Bibliographie

BOURQUE, Rév. A.-T. *Chez les Anciens Acadiens*, Causeries du Grand-Père Antoine, Moncton, 1911.

BUSQUET, Raoul. *Légendes, traditions et récits de la Provence d'autrefois*, 1932.

BUTEUX, Clan Jacques. *Le bâton fourchu dans les îles du grand golfe*, Éditions du Bien Public, 1957.

CHIASSON, Rév. Père Anselme. *Chéticamp, Histoire et Traditions Acadiennes*, Moncton, Éditions des Aboiteaux, 1961; 2e édition, 1962.

CHRISTIANSEN, Reidar Thorwald. *Folktales of Norway*, traduit par Pat Shaw Iversen, 1964.

GUAY, Mgr Charles. *Lettres sur l'île d'Anticosti à l'honorable Marc-Aurèle Plamondon*, Montréal, 1902.

HAMELIN, Louis-Edmond. *Sables et Mer aux îles de la Madeleine*, publié par le ministère de l'Industrie et du Commerce de la province de Québec, 1959.

HUBERT, Paul. *Les îles de la Madeleine et les Madelinots*, Rimouski, 1926.

MARIE-VICTORIN, Frère. *Chez les Madelinots,* Montréal, 1921.

MASSIGNON, Geneviève. *Les Parlers français d'Acadie*, 2 volumes, Paris, 1962.

Mémoire des Madelinots à la Commission royale d'enquête sur les problèmes constitutionnels, 12 novembre 1954.

Monographie des îles de la Madeleine, Extrait du Bulletin de la Société de géographie de Québec, 1927.

ROUGE, J.-M. *Le Folklore de la Touraine*, Tours, 1947.

ROY, Dr Carmen. *Les Acadiens de la rive nord du fleuve Saint-Laurent*, Communications n° 5, Ottawa, Musée national du Canada, juin 1963.

RUMILLY, Robert. *Les îles de la Madeleine*, Montréal, Éditions Chanteclerc, 1951.

SAVOIE, Francis. *L'île de Shippagan, Anecdotes, Tours et Légendes*, Moncton, Éditions des Aboiteaux, 1967.

Tagung der « International Society for Folk-Narrative Research » in Antwerp, du 6 au 8 septembre 1962, Anvers, 1963, 103 p.

VAN GENNEP, Arnold. *Formation des Légendes*, Paris, Flammarion, 1917.

VARIOT, Jean. *Légendes et Traditions orales d'Alsace*, Paris, Éditions Georges Crés et Cie, 1919.

Achevé d'imprimer
en août deux mille quatre, sur les presses
de l'imprimerie Gauvin, Gatineau, Québec

Les Légendes des îles de la Madeleine est pa
les premiers ouvrages publiés par le père Anse
Chiasson, et le tout premier recueil de légen
madeliniennes à avoir été édité. Fervent défens
de la culture acadienne, il décide en 1957 d'en
prendre un immense travail de collecte de
tradition orale auprès des « anciens ». Traînant
bandoulière micro et enregistreuse de Cap-Bre
jusqu'aux Îles, il a ainsi capté sur bande magnéti
plus de 1 000 chansons, de nombreux airs
violon et des centaines de contes et de légen
Initialement publié en 1969, l'ouvrage avait
réalisé avec le soutien du Musée national du Canada (pour la partie recherc
et du ministère des Affaires culturelles du Québec (pour la publication).

Originaire de Chéticamp en Nouvelle-Écosse (né le 3 janvier 1911), le p
Anselme Chiasson laisse un héritage majeur aux Acadiens du monde en
Tout son œuvre, des plus impressionnants, a été guidé par une volonté de fa
en sorte que l'Acadie n'oublie pas ses légendes, ses chansons, ses traditions.
1960, il cofonde la Société historique acadienne. Conseiller et ethnologue
histoire d'Acadie et en folklore acadien, il crée, en 1961, les Éditions des Aboitea
la première maison d'édition en Acadie. Il a aussi été l'un des bâtisseurs
l'Université de Moncton.

En 1962, il reçoit le prix Champlain du Conseil de la vie française
Amérique pour son ouvrage *Chéticamp; histoire et traditions acadiennes* et,
1976, il est nommé membre de l'Ordre du Canada et reçoit le Doctorat *hon*
causa en histoire de l'Université de Moncton. En 1980, l'Association canadie
d'ethnologie et de folklore lui décerne le titre de Folkloriste canadien de distinct
et lui remettra la médaille Marius Barbeau en 1996. Il est nommé, en Fra
chevalier de l'Ordre national du Mérite en 1999 et, en 2001, on lui remet le p
Hommage de l'Académie des arts et des lettres de l'Atlantique. Il est fait cheva
de l'Ordre de la Pléiade en 2002 et reçoit une promotion pour devenir offic
de l'Ordre du Canada en 2004. Le père Anselme Chiasson est décédé le 25 av
2004 à l'âge de 93 ans à la suite d'une brève maladie pulmonaire.

Préface de Sylvain Rivière – Sylvain Rivière est né en 1955 à Carleton, en Gaspés
Journaliste, poète, dramaturge, conteur, écrivain, auteur de chansons et de monologu
il habite les îles de la Madeleine depuis 1982 où il se consacre à ses trente-six métiers
tout en parcourant sans répit les territoires de la francophonie. Il est le fondat
du festival international *Contes en Îles* qui rassemble aux îles de la Madelein
la fin septembre de chaque année, une bonne vingtaine de conteurs d'ici et
l'étranger.

Planète rebelle remercie ceux et celles qui
ont collaboré à la réalisation de cet ouvrage.